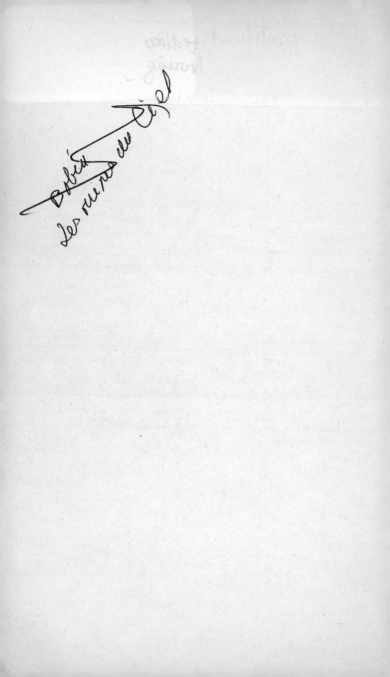

affût - hide
(N.) blind   · tailgate

furibond - furious   le hagon
         fuming   quittance - receipt
                             avis d'imposition
comminatoire threatening   tax assessment

la
procuration - power of atty

tailler désosser amenuiser réduire
condensa la musique - et sa vie

le capharnaüm — disordre
                     pissty
                     mess

Bienne
→esclaffer - laugh out loud
incurie - carelessness
              negligence

aimer être seule   +arabusta
   se perdre

le capuchon d'un stylo-bille
chambranle
enfoncé
   étayer le corps

Pascal Quignard

Villa Amalia

Gallimard

Pascal Quignard est né en 1948 à Verneuil-sur-Avre (France). Il vit à Paris. Il est l'auteur de plusieurs romans (*Le salon du Wurtemberg, Tous les matins du monde, Terrasse à Rome*) et de nombreux essais où la fiction est mêlée à la réflexion (*Petits traités, Dernier royaume*). Il a reçu le prix Goncourt 2002 pour *Les Ombres errantes*.

à Martine

PREMIÈRE PARTIE

CHAPITRE PREMIER

« J'avais envie de pleurer. Je le suivais. J'étais malheureuse à désirer mourir. Je longeais en voiture la Seine depuis plus d'une demi-heure quand la nuit tomba d'un coup. Arrivé à Choisy-le-Roi Thomas s'engagea dans l'obscurité, soudain, dans une petite rue, sur la droite. Il se gara presque aussitôt sous un laurier et éteignit les phares. Je me rangeai très vite, très mal, un peu plus loin, sur l'avenue. Je revins sur mes pas, faisant semblant de marcher normalement, feignant de ne pas courir. Il poussait une grille. Je m'approchai. Je m'approchais vite et lentement. Je ne sais pas comment vous expliquer. »

Elle s'approcha.

Elle toucha avec son front les barreaux de fer rouillé.

Elle avait du mal à voir au travers des feuilles du laurier dans la nuit.

Alors elle aperçut Thomas : une jeune femme lui avait pris les mains sous la lanterne allumée, devant l'entrée de sa maison.

Thomas cherchait à ôter son manteau. La jeune

femme se haussa sur la pointe des pieds. Elle tendit ses lèvres vers ses lèvres.

Mais les feuilles les plus basses du laurier la gênaient. Elle aurait voulu découvrir tout son visage. Ils étaient sur le point de quitter le porche de la maison et de rentrer. Elle allait manquer son visage. Subitement elle entendit dans son dos :

— Vous regardez avec beaucoup de soin cette maison, madame.

Son cœur battit à rompre. Elle était comme une enfant surprise à l'instant où elle est en train de voler.

— C'est exact, répondit-elle.

Et elle se retourna.

Elle avait devant elle, sur le trottoir de la rue obscure, un homme en costume foncé, les cheveux ras, qui sentait le parfum. Il souriait sans rien faire.

Elle lui dit :

— Je pense que vous avez devant vous une femme qui prépare un cambriolage.

Il saisit la manche de son imperméable.

— Tu ne me reconnais pas ?

Elle fut complètement interloquée par la question qu'il lui posait. Elle fit signe que non. À vrai dire elle n'avait pas la moindre envie d'entamer quelque conversation que ce fût avec qui que ce fût. Elle retira prestement la manche de l'imperméable qu'il tenait entre ses doigts.

— Moi, je te reconnais, lui dit-il.

La nuit tombait. Elle avait les yeux fixés sur la grille.

— Tu es Anne. Plus précisément : tu es celle qui ne voulait pas qu'on l'appelle Éliane.

Alors Ann Hidden le regarda. Elle hocha la tête. Elle était consternée. Les larmes montèrent à ses yeux sans qu'elle l'eût voulu.

— C'est vrai, murmura-t-elle. C'était...

— Que dis-tu ?

Elle parla plus fort :

— C'est vrai. C'était mon nom jadis.

Elle vint vers lui, examinant son visage, cherchant à le reconnaître.

— Vous, qui êtes-vous ?

— Je suis Georges.

Elle ne voyait pas qui pouvait être Georges.

— Georges Roehl.

Elle ne voyait pas qui était cet homme.

La nuit enveloppait peu à peu leurs corps — de plus en plus obscurs.

Il la regardait en souriant.

Il sortit son portefeuille de la poche intérieure de son costume.

Il tendit une carte de visite.

Elle dut s'approcher du lampadaire qui était dans la petite rue. Elle lut son nom en entier, Georges Roehlinger. Les caractères avaient été imprimés en relief. Il habitait sur un quai. À Teilly. Là non plus, elle ne savait pas où c'était, elle ne savait pas quel port c'était, elle n'imaginait pas dans quelle province ce quai et ce port se trouvaient, sur quelle côte, affrontant quel océan. Elle commençait à éprouver une sorte de malaise.

— Nous étions en classe ensemble. Dans les toutes petites classes. Tu te rappelles la Bretagne ? Sœur Marguerite ? Nous...

Mais il n'avait pas eu le temps de finir sa phrase. Elle s'était jetée dans ses bras. Elle s'était effondrée en sanglots.

*

Alors il l'avait serrée contre lui.

Il l'avait aidée à marcher dans l'obscurité jusqu'à une petite maison. Le jardin donnait sur l'avenue.

Il ferma une autre grille.

Il ouvrit une autre porte.

— Vous savez, je crois que je vieillis, lui dit Ann Hidden. Georges, il ne faut pas m'en vouloir. J'ai mis un temps fou pour vous reconnaître.

— J'ai beaucoup plus changé que toi ! la reprit doucement Georges Roehl.

— Mais non. Ce n'est pas ce que je voulais dire. Non, non. Vous avez peut-être *un petit peu* changé.

Pénétrant dans le salon il alluma un lampadaire près d'elle.

Il allumait l'une après l'autre toutes les petites lampes qui l'entouraient.

Ann s'assit sur une espèce de méridienne en osier qui cria.

— Bien sûr que tu ne me reconnaissais pas : tu espionnais.

— Georges ?

— Oui.

16

— Je n'espionnais pas. L'homme avec qui je vis s'appelle Thomas. C'est lui que je suivais. C'est lui qui venait d'entrer dans la maison devant laquelle vous m'avez surprise. On parle d'autre chose.

— Si tu préfères.

— Oui.

Elle ne désira rien dire de plus sur ce qui l'avait amenée à Choisy. Son visage s'était fermé.

— Tu veux boire peut-être ?

— Du thé.

Il partit faire du thé.

Le vieux salon était plein de meubles, d'objets de tous âges, beaucoup d'horreurs.

Ann Hidden s'approcha de la fenêtre. Les rideaux qui l'encadraient sentaient la poussière. Il s'était mis à pleuvoir. Les branches nues des marronniers de l'avenue dégouttaient d'eau.

Georges revint, posa le plateau sur la table basse. Il avait la mine toute réjouie.

— Je suis content de t'avoir retrouvée.

— J'ai envie de tartines, lui dit-elle.

— Des tartines comment ?

— Des tartines comme toujours. Des tartines grillées avec du beurre et de la confiture.

— Je ne crois pas que j'ai du vrai pain. En tout cas j'ai des toasts.

— Du beurre breton pendant qu'on y est.

— Et de la confiture comment ?

— De la confiture aux cerises. Ou bien... de la confiture avec des abricots en morceaux.

17

— Je ne pense pas non plus que maman ait eu du beurre salé, dit-il.

Il marmonnait en quittant la pièce.

— De toute façon il ne serait plus bon...

Alors elle mit sa tête entre ses mains. Elle se mit à souffrir sans retenue dans le salon, confortablement assise entre le secrétaire et les rideaux, entre la poussière et la poussière, pendant qu'il faisait griller le pain.

Quand il revint, il alluma une bougie à la verveine.

— Cela ne sent pas très bon chez maman.

Elle ne le contredit pas.

— Tu te souviens de maman ?

— Bien sûr que je me souviens de votre mère. C'était une vraie fée. C'était une cuisinière merveilleuse.

— Elle est... morte.

— Ah !

Il était ému. Il ne pleurait pas mais sa voix chevrotait un peu.

— Nous sommes chez elle.

— Ah !

— Elle est morte il y a exactement onze jours maintenant.

Elle ne répondit rien. Elle le regarda.

— Il ne faut pas m'en vouloir. Je n'en ai pas encore pris tout à fait conscience, dit-il encore.

— Oui, murmura-t-elle.

— Elle est morte la veille de Noël...

Sa voix s'était mise à trembler et il se tut.

Elle ne dit rien.

Par la suite il lui expliqua qu'il s'était installé ici pour quelques jours, afin de ranger. Il avait décidé de vendre le pavillon où sa mère avait vécu seule après son remariage. Il ne souhaitait pas en avoir la charge plus longtemps. Il n'aimait pas cette ville. C'était un hasard miraculeux que cette rencontre à Choisy-le-Roi, pour peu qu'il y réfléchît. Quarante ans passent, un ange passe, une âme monte au ciel, une femme surgit sur un trottoir et plonge son visage dans les feuilles d'un laurier, le fantôme de sœur Marguerite se glisse tout à coup dans l'espace.

— Et *deux* fantômes boivent du thé ensemble, conclut-elle.

— Le thé de maman est bon, tu ne trouves pas ?

— Georges, vous ne pouvez pas savoir combien ce que vous dites est vrai : je suis une femme devenue un fantôme.

— Je ne voulais pas suggérer cela. Ce n'est pas du tout ce que je voulais dire.

— Le thé est délicieux. Votre mère faisait toujours aussi bien la cuisine ?

— Toujours. Maman s'était remariée. Puis elle est de nouveau devenue veuve. Mais, même pour elle seule, elle cuisinait.

— C'est bien. C'est rare.

— Tu n'imagines pas ! Cela avait un côté fou. De six heures du matin à neuf heures du soir. Maman a passé sa vie à faire la cuisine. Tu ne peux pas savoir...

— Est-ce qu'il faut vraiment se tutoyer ?

— Pourquoi dis-tu cela ?

— Parce que cela m'embarrasse, dit Ann Hidden.

— Nous nous sommes toujours tutoyés.

— Cela me gêne. Cela m'embarrasse.

— On ne peut pas s'arrêter de tutoyer ! Ce serait plus embarrassant encore. Anne-Éliane, tu n'es pas sérieuse. On se connaît depuis toujours. Lève-toi un peu.

Il lui tendit la main et ils montèrent à l'étage.

Ils ne parlaient plus.

Ils entrèrent dans la chambre de la mère de Georges. Ann Hidden éprouva un sentiment d'impudeur. Au milieu de la pièce trônait un lit à quatre boules de cuivre. Le couvre-pied était brodé. Elle avait l'impression que le corps d'Évelyne Roehlinger était encore allongé là.

— Le couvre-pied a été fait à la main par maman pendant six ans.

— J'imagine. C'est très beau.

— C'est d'une extrême laideur.

— La cuisine de ta mère te manque ?

— Oui et non. Tu ne peux pas savoir. C'était oppressant. Cela va me permettre de maigrir.

Elle regardait une coiffeuse en ébène du début du xxe siècle.

Ann ne savait plus du tout pourquoi elle se trouvait dans une vieille chambre poussiéreuse au fond d'une banlieue située au sud de Paris.

— Voilà la photo que je cherche.

— Oui...

Dans un très grand cadre en acajou, mordant les unes sur les autres, il y avait les six photos des classes de l'enfance.

Ann posa ses fesses sur le bord du lit, sur le couvre-pied d'Évelyne Roehlinger.

Sur une des anciennes photographies elle était assise sur un banc à côté de sœur Marguerite. Elle avait des nattes, elle avait des grosses chaussettes de laine qui montaient jusqu'aux genoux — et lui, debout, un rang plus haut, en blouse noire comme elle, coiffé d'un béret.

— Tu te vois, là !

— C'est drôle. Que c'est vieux...

Elle avait de nouveau les larmes aux yeux.

— À cette époque-là on avait encore le droit de mettre quelque chose sur sa tête dans une école.

Elle repoussa le grand cadre en acajou sur le couvre-pied.

— Tu ne voudrais pas m'accompagner pour dîner ensemble ? lui demanda Georges. Tu m'expliquerais...

— Pas ce soir.

— Non pas ce soir, bien sûr. Un autre jour. À la campagne. De toute façon je ne vis pas ici. Je vis à Teilly. C'est dans l'Yonne. C'est même sur l'Yonne. Il faut d'abord que je mette toute cette maison de maman en vente...

— Tu mets tout ce qui appartenait à ta mère en vente ?

— Oui.

— Tout ?

— Oui.

— Tu as peut-être raison.

— Tu ne peux pas imaginer combien cela me cause de peine dans le même temps. Mais j'ai tellement de choses. Je ne sais pas pour qui elle conservait tant de choses... Je ne sais pas pour qui j'accumule tant de choses moi-même... Tu vis toujours en Bretagne ?

— Non.

— Et ta mère... vit toujours ?

— Oui.

Elle reprit plus bas :

— Maman vit toujours là-bas.

— Et elle... attend toujours ?

— Oui, toujours dans la même maison. Tous les jours. Toujours. Elle attend toujours.

Elle s'approcha de la lampe de chevet. Elle dit :

— D'ailleurs il faut que j'aille la voir dimanche en huit.

Ann, poussant un soupir, ajouta dans le dessein de se justifier :

— C'est l'Épiphanie.

Elle se redressa. Elle remit en place le cadre sur le mur. Elle regardait de nouveau ses nattes, ses grands yeux si ronds et si graves, les manches de flanelle qui dépassaient de la blouse.

— Descendons, dit-il. Il y a des pâtes de fruits toutes fraîches. C'est moi qui les ai faites. Sans exagérer, je te jure qu'elles sont succulentes...

Ils redescendirent l'escalier.

— C'est où, ta ville ? lui demanda-t-elle.

— C'est à la frontière de la Bourgogne. L'Yonne longe la Bourgogne. C'est exactement entre Sens et Joigny. Il faut que tu viennes. Il y a des restaurants magnifiques. C'est si terrible de manger tout seul. Tu ne peux pas savoir.

— C'est faux. J'ai toujours aimé manger seule, au calme, dans un coin de fenêtre.

— Je déteste cela.

— J'aime bien.

— On mange trop vite.

— Pas moi.

— On est regardé.

— C'est vrai qu'on est regardée et que ce n'est pas ce qu'il y a de plus agréable. Mais manger seule, en silence, c'est pour moi un vrai plaisir.

— Je ne suis pas d'accord avec toi. C'est *à cause* du silence que c'est moins bon. On ne peut pas exprimer ce qu'on éprouve en goûtant, en dégustant, en mâchant, en buvant. Je souffre tellement de manger seul. Tu mangerais avec moi?

Il était suppliant. Cela lui fut aussitôt insupportable. Elle posa sa main sur son bras. Elle dit fermement :

— Un autre soir, Georges.

Ils traversèrent le jardin. Il cherchait dans sa veste son portefeuille.

— Ma carte, mon numéro de téléphone...

— Tu me les as déjà donnés.

*

Sur la nationale 6, elle s'arrêta brusquement.

Elle préférait souffrir sans retard.

Ou plutôt elle préférait affronter la tristesse qu'elle ressentait sous le regard de personne.

Elle prit une chambre dans un hôtel.

C'était à Alfortville. Sa fenêtre donnait sur un centre commercial et un garage. La station-service était ouverte. Elle sortit acheter une bouteille d'eau et une barre de chocolat au caramel. Elle referma la porte de sa chambre, ôta ses chaussures, alla vers le lit, ouvrit violemment, largement, la couverture, les draps, se glissa sous les draps sans se déshabiller, se mit en peloton.

À un moment elle descendit du lit, se mit à genoux sur le plancher de la chambre, croisa ses doigts sur le matelas, pria à voix haute comme une petite fille.

Elle revint se blottir sous les draps, le visage dans les deux oreillers.

Quand le désir des larmes s'arrêta, alors sa souffrance devint intense.

Puis elle se déchira.

*

C'est le cœur de la nuit. Elle déverrouille la grille, traverse le jardin, gravit les marches, ouvre la porte, pénètre en silence dans la maison.

Elle aperçoit une forme qui bouge dans l'obscurité.

Brusquement il allume. Il se tient, en pyjama, dans l'entrée.

— Je t'attends depuis des heures.

Son visage a l'air réellement affolé. Ses yeux brillent.

Elle murmure :

— Tu n'en fais pas un peu trop ?

Il se met à crier :

— Où étais-tu ?

Le voyant élever la voix, Ann s'approche de lui, le regarde dans les yeux, baisse jusqu'au chuchotement sa propre voix, lui dit tout bas :

— Tu te tais.

Il cesse aussitôt de crier. Il dit :

— J'étais fou d'inquiétude. Tu aurais pu appeler. Ann, tu as vu l'heure ?

Ann ne répond pas. Elle le contourne et va dans la salle à manger. Elle s'assoit devant la table. Il la suit. Elle tourne les yeux vers lui et le regarde longtemps. Elle se redresse sur la chaise. Elle respire avec violence. Elle dit d'une seule traite :

— Je te quitte. C'est fini.

Il se tient dans l'encadrement de la porte, tourné vers elle, en pyjama, les cheveux en désordre, la bouche grande ouverte.

Il ne dit tout d'abord rien, puis, tout bas :

— Répète.

— Nous allons nous quitter.

— Pourquoi ?

— Cherche.

— Je ne comprends pas. Pourquoi faudrait-il se quitter ?

— Thomas, je t'en prie. Il n'y a pas besoin d'explication. Tu t'en vas.

— Tu n'as à me prier de rien. On est en pleine nuit.

— Et alors ?

— Tu me dis de partir.

— En effet.

— Ann, regarde-moi !

Ann prend son temps. Elle le regarde dans les yeux. Elle dit :

— Je ne vois plus grand-chose.

Elle pose les mains sur la table, elle est fatiguée, elle se met debout. Elle gagne le corridor.

— Tu aimes quelqu'un d'autre ? lui demande-t-il.

Elle hausse les épaules.

— Tout le monde n'est pas comme toi, Thomas.

Il la retient par le bras. Il l'agrippe. Il lui fait mal.

— Lâche-moi !

Elle s'arrache à son étreinte. Elle monte l'escalier. Elle va chercher des draps à l'office. Elle monte se faire un lit dans une des deux petites chambres du deuxième étage aménagées sous les combles. Le dimanche, elle le passe enfouie sous sa couette. Elle ne mange pas.

*

Le lundi matin, il n'était même pas huit heures, la portière de sa voiture était encore ouverte, Ann était au volant.

Thomas, debout dans la rue, boutonnait sa chemise.

Ils chuchotaient à toute allure. Il disait :

— Je t'aime.

— Non.

— On ne peut pas se quitter comme cela.

— Si.

— Cela fait quinze ans.

— Et alors ?

— Il faut que nous parlions.

— Inutile.

— Mais je ne te permets pas de décider de ma vie comme cela, sans raison, sans explication.

Sa voix était devenue aiguë et ridicule. Un passant arrivait sur le trottoir. Elle lui dit tout bas :

— Lâche la portière, s'il te plaît.

— Ann, je t'aime.

— C'est faux.

Soudain le visage de Thomas s'affaissa. Il devint tout pâle. Elle tira enfin la portière.

— Ce soir, ce soir..., suppliait-il derrière la vitre.

Par le rétroviseur elle le vit prendre appui sur le capot d'une des voitures qui étaient garées là, levant la tête, cherchant à trouver de l'air.

*

Elle poussa la porte de l'éditeur de musique. Elle alla dans son bureau, posa son écharpe, son sac, son manteau. Elle entra dans le bureau de Roland, mit en marche la machine à café et alla chercher de l'eau sous l'escalier. Elle leva son visage vers son reflet dans le petit miroir fixé au-dessus du lavabo. C'était une femme dont le corps changeait par phases. Un jour vigoureuse, sportive (Ann aimait nager, elle nageait plusieurs fois par semaine), éclatante. Un autre jour filiforme, terne, étrangement anguleuse. Elle était dans un de ses mauvais jours. Triangulaire et pâle.

Elle appela Georges Roehl au numéro qu'il lui avait donné.

Il répondait à ses questions de façon vaseuse.

— Je t'ai réveillé ? C'est ça ?

— Oui, avoua-t-il après un moment de silence.

— Je te rappellerai. Je t'ai quitté de façon un peu brusque. Il ne faut pas m'en vouloir.

— Je ne t'en veux pas.

— Je suis très contente de t'avoir retrouvé.

— Moi aussi je suis content de t'avoir retrouvée.

— J'avais besoin d'être seule. J'ai besoin d'être seule. Je crois que dans ma vie, je crois que dans la substance de ma vie, je ressens le besoin d'être seule.

— Tu n'a jamais vécu seule ?

— Non.

— Je vais boire à ça. Je vais ouvrir une des bonnes bouteilles de la cave de maman à midi. Je la boirai en pensant à toi. Je boirai à la substance de ta vie et à nos retrouvailles. Vis seule. Vis seule et viens quand tu veux. Je vais te dire pourquoi c'est bien de commencer à grandir à l'âge que tu as atteint. C'est parce que l'âge que tu as atteint est le mien.

CHAPITRE II

— Pour ce qui me concerne je prendrai juste le foie cru sur les asperges.

Après avoir passé la commande ils se turent. Puis Ann se ravisa. Elle rappela le garçon :

— Je voudrais que vous me fassiez une salade en plus.

— Une salade simple ?

— Oui. Mais pas de vinaigre. Du citron. Simplement sel, huile d'olive, citron.

Le sommelier apporta le vin. Thomas le goûta. Quand le sommelier fut parti, Thomas prit la parole de façon solennelle.

— Je voudrais que nous nous parlions sérieusement.

— Cela sera certainement le cas, lui répondit-elle.

Ils se turent de nouveau.

Ann dit :

— Thomas, j'espère que tu te souviens que ce week-end je pars en Bretagne. Je partirai samedi dans l'après-midi. Je fête les rois chez maman.

— Je sais.

Ils se turent.

— Ce n'est pas de cela que je voulais parler. Ann, je voudrais que *toi*, tu me parles.

— C'est déjà plus difficile.

— Que tu m'expliques...

— Là je trouve que c'est carrément trop facile.

— Pourquoi?

— Je doute que ce soit à moi de m'expliquer. Regarde ta vie. Imagine un jardin qui contient un laurier à Choisy. Tu traverses la pelouse. Une jeune femme t'attend au haut des marches. Elle tend ses lèvres vers toi.

Soudain elle ne parle plus.

Il ne rompit pas le silence. Il ne leva pas les yeux vers elle.

Plus tard il murmura :

— Dis-moi ce qui va se passer selon toi.

Elle attendit que le garçon les servît. Quand ils furent seuls elle dit :

— Décampe.

— Non.

— Il faut que tu t'en ailles, Thomas. La maison est à moi et maintenant ma vie aussi.

— Pas question, dit Thomas.

Il posa sa serviette sur la table.

— Pourquoi faudrait-il que j'accepte que tu casses tout ce qui a été jusqu'ici notre vie?

— Parce que j'ai quarante-sept ans. Il y a quarante-sept ans que je suis née dans une petite ville de Bretagne où on portait de longues nattes dans le dos et où on tirait ses chaussettes jusque sous les genoux. Voilà la pauvre raison. Je n'ai plus le droit à l'erreur.

— Et moi je suis l'erreur ?

— Tu n'es pas une erreur, Thomas. Tu es une faute. Tu es tout simplement une faute.

Alors les menaces apparurent sur les lèvres de Thomas. La voix monta. Le ton devint tout à coup nasal, aigre. Il opposa des termes de droit plutôt que des raisons. Il lui promit que jamais il ne la laisserait faire ce qu'elle avait envisagé. Il lui jura ses grands dieux que toute sa vie lui était dédiée. Il prit ses mains et lui dit brusquement :

— Je t'aime...

— Arrête. N'emploie pas ce mot, s'il te plaît, ou je me lève.

— Au fond de moi...

Alors il répéta ce mot, elle se leva, elle quitta le restaurant.

*

C'était l'heure de déjeuner mais elle n'avait pas faim. Elle se trouvait dans le quartier où elle travaillait. Elle alla acheter des journaux. Il faisait gris. Le froid était trop vif pour s'asseoir sur un banc dans le square. Elle était sur le point de rejoindre un café en feuilletant le journal du matin quand tout à coup elle s'arrêta.

Dans la grande vitrine de l'agence immobilière, il y avait une dizaine de photographies de maisons.

Elle examina les photos, les prix. Tout était offert à la vente : une petite gare désaffectée perdue dans la montagne, un pavillon à Neuilly, un loft à la Bastille, un port moyenâgeux et ensablé sur l'Atlantique, trois hôtels particuliers dans le VIIIe arrondissement. Elle réfléchissait encore, elle poussa lentement, presque rêveusement, la porte, s'assit devant un homme âgé qui portait de longs cheveux gris, habillé d'un costume à rayures, qui l'écouta attentivement. Au bout d'un moment il l'interrompit, il se leva, il lui proposa de la suivre.

Ils se rendirent dans le bureau du directeur de l'agence.

Elle donna un nom qu'elle imagina. Ils ouvrirent le dossier sous ce nom qui était faux. Elle ne prévint personne. Elle ne dit rien à personne. Ils avaient juste son numéro de portable. C'était un vieux portable débloqué qui fonctionnait avec des cartes. Elle l'avait acquis deux ans plus tôt à la porte Saint-Ouen.

*

Elle démissionna de son travail l'après-midi même. Elle s'entendit assez vite avec Roland — elle travaillait pour lui depuis plus d'une dizaine d'années, il était éditeur de musique.

— D'accord, Ann. Si je résume, vous ne travaillez plus pour moi mais je reste votre éditeur pour tout ce que vous composerez ?

— Oui.

Il ne savait que dire. Aussi dit-il :

— Je ne sais pas quoi dire.

— C'est bien ainsi.

— C'est un curieux début d'année.

— Oui.

— Il fait si étrangement chaud, ajouta-t-il. Mon jardin est plein de bourgeons.

— Ah !

Ils convinrent qu'elle ne ferait qu'une semaine, afin de le mettre au courant non seulement de tout ce qui était en cours mais surtout en sorte de lui expliquer toutes les ruses et manies qui étaient propres à son ordinateur.

— Si vendredi tout est fini, je partirais dès vendredi. Je compte aller chez ma mère, en Bretagne...

— Bien sûr. On finira tout ça quand vous le souhaiterez.

— Je resterai un peu plus longtemps que les rois dans ce cas.

— Ann, voilà ce que nous allons faire. Je vous paierai vos mois de préavis.

— Que je ne ferai pas.

— Que vous ne ferez pas. Je continuerai à vous publier et nous resterons des amis fidèles.

Roland se leva. Pour la première fois — pour la dernière fois — il contourna son bureau, saisit ses bras, l'embrassa sur les deux joues.

Ann Hidden rangea aussitôt son bureau. Quitta son bureau tenant entre ses bras un grand carton, qu'elle déversa dans la grande poubelle de la cour.

*

Le directeur de l'agence immobilière la rappela dans la soirée. Thomas n'était pas rentré.

— Madame Amiens ?

— Oui.

— Puis-je venir demain avec mon assistant ?

— Si vous voulez.

— Demain, c'est jeudi.

— Oui.

— Demain en début de matinée ?

— Je préférerais en début d'après-midi.

— Moi je ne pourrai pas mais mon assistante viendra.

— Merci.

L'assistante, accompagnée de son ami, sonna. Ils prirent les mesures. La jeune femme faisait des petits croquis. Le jeune homme prit plusieurs photographies. Ils ne se pressaient pas. Cela dura une heure. Il se trouva que l'acheteur lui aussi, au début, la connut sous le nom d'Amiens. Ensuite elle se justifia, disant qu'il s'agissait du patronyme de son premier mari. Mais elle n'avait jamais été mariée. Thomas ne lui avait pas proposé de s'unir à lui et de choisir son nom. Pour les deux hommes qui avaient précédé Thomas dans sa vie, c'était elle qui ne l'avait point souhaité. C'était une femme singulière. Comme musicienne elle était connue sous le nom d'Ann Hidden. Elle avait été baptisée en Bretagne, dans la religion catholique qui était celle de sa mère, sous le nom d'Éliane Hidelstein. Elle ne sortait

34

jamais. Personne ne connaissait son visage — il est vrai que la musique contemporaine était si méprisée, au début du XXIe siècle, dans le monde entier, que tout ce qui se composait de neuf sur terre était devenu à peu près sans visage. Sur ses CD, elle choisissait des fragments magnifiques de ciels d'orage qui lui semblaient correspondre plus ou moins à ce qu'elle avait composé. Trois disques. Un disque à peu près tous les dix ans. Elle composait peu. Elle avait aimé travailler chez Roland — où elle était un peu plus que correctrice — mais pas davantage non plus. C'était un caractère très étrange : extraordinairement passive. Presque contemplative. Mais cette apparence d'inertie contenait une activité propre. Elle était profondément calme, calme sans aucune sérénité, calme de façon inlassable, opiniâtre, à tout instant concentrée. Elle n'obéissait à personne mais commandait encore moins à qui que ce fût. Elle parlait peu. Elle menait une vie presque invisible, entourée de ses trois pianos, abritée par ses trois pianos, inamicale, presque recluse, laborieuse, parallèle. Quand elle leva les yeux sur l'eau qui coulait, devant elle, tout ce qui l'entourait était devenu gris. Seul le quai d'en face était blanchâtre. Les arbres et la péniche étaient gris-brun dans la lumière terne.

CHAPITRE III

Après que la jeune femme et le jeune homme de l'agence étaient partis elle avait quitté la maison à son tour. Elle était montée dans sa voiture, avait roulé, avait acheté une mobicarte dans un café-tabac, avait pris des cigarettes Lucky. Puis elle avait roulé encore. Elle était allée tout en bas de Meudon, sur la route qui mène à Sèvres. Il y avait très peu de vent. L'air de Paris sentait son odeur si particulière, putréfiée, charcutière, mazoutée, épouvantable. À la bordure de l'herbe, prise dans le ciment, elle avait aperçu une souche d'arbre toute blanche sur laquelle elle s'était assise.

L'arbre venait d'être scié et sentait un peu l'ancienne terre invisible. Le soir tombait.

Vers cinq heures, la nuit fut là.

Elle resta assise devant le fleuve, regardant l'eau battre la berge. Sa souffrance était devenue une espèce d'affût douloureux.

Assise sur son tronc d'arbre elle s'était efforcée de réfléchir.

La pluie et la bourrasque la chassèrent brusquement.

Ce ne fut qu'en battant en retraite, en courant très vite dans la nuit vers sa voiture — fonçant sous la rafale de pluie tiède — qu'elle avait trouvé la solution aux questions qu'elle se posait depuis une heure.

Là, assise derrière le volant, à l'abri dans sa voiture, assourdie sous le bruit de la pluie martelant le toit de tôle de la voiture, enveloppée de nuit et de pluie, le long de la Seine, près de la passerelle de l'Avre éclairée par les lampadaires, la paix se fit peu à peu en elle.

Sinon la vraie paix, un calme profond, vaste, angoissé, énergique, l'enveloppa.

C'était une solution à tout le moins radicale.

La solution la plus simple était aussi la plus merveilleuse.

Aussitôt, toujours à l'abri dans sa voiture, elle appela à partir de son portable l'agence immobilière. Elle prit rendez-vous pour le lendemain en fin de matinée.

*

— Vous savez, bien peu de gens achètent au début de janvier.

— Puis-je vendre le mobilier en même temps que les murs ?

— Si vous voulez mais c'est compliqué. Il est plus intéressant de vendre séparément.

— Pourquoi ?

— C'est évident pour vos pianos.

— Pour eux je sais à qui m'adresser.

— Pour les meubles, il est vrai qu'on ne les a pas examinés hier sous ce jour parce que je n'avais pas saisi alors quel était votre souhait. Mais je suis sûr que si vous vendiez tout ensemble vous y perdriez.

Il hésitait.

— Il faudrait que je voie moi-même.

— L'accepteriez-vous ? Pourriez-vous faire une estimation ? Personnellement, je voudrais ne pas avoir à m'occuper de tout cela.

Il réfléchissait.

— Si vous le souhaitez vraiment, je peux m'en charger. Je connais des antiquaires. Je connais aussi des brocanteurs...

— Monsieur, êtes-vous libre pour déjeuner ?

— Non. Je n'ai pas le temps.

Elle insista.

— C'est vrai qu'on est vendredi, dit-il enfin. On est au mois de janvier. D'accord, mais une heure. Juste une heure !

Elle se leva en souriant.

— Je connais un petit restaurant où tout est délicieux si on se range aux plats du jour.

Elle se pencha sur le bureau, décrocha le téléphone, composa un numéro.

— J'ai travaillé autrefois dans ce quartier. Laissez-moi réserver.

En sortant du restaurant, après qu'elle et le directeur de l'agence immobilière se furent séparés, elle appela sur son portable Georges Roehl. Il n'était pas à Choisy. Elle l'appela au numéro qu'il lui avait donné à Teilly-sur-Yonne.

— Georges, tu n'as pas parlé de moi?

— Non.

— Tu n'as évoqué mon nom devant personne?

— Mais qu'est-ce qui te prend? À qui veux-tu que je parle? À qui veux-tu que je puisse parler?

— Réponds-moi.

— Mais non! Non. Je vis seul. Depuis que maman est morte je suis complètement seul! Au fait si, j'ai *beaucoup* parlé de toi au fantôme de maman.

— Je suis superstitieuse. Ne parle pas comme cela!

— Je suis seul, vraiment seul, Anne-Éliane, tu ne peux pas savoir. Il y a si longtemps que je n'ai plus d'amants.

— Tant mieux pour toi.

— Méchanceté gratuite.

— Je répète : tant mieux pour toi. Et tant mieux pour moi. Conserve-moi ce secret, Georges, je t'en supplie.

— Je ferai tout ce que tu veux.

— Promets-moi. Tu ne parles de moi ni de notre rencontre à personne.

— Je le jure.

— Tu me le jures vraiment?

— Je te le jure vraiment.

— Georges?

— Oui.

— Puis-je te voir rapidement?

— Je suis à Teilly.

— Je sais. Si je prends un train, comment je fais ?

— Tu vas à la gare de Lyon, il y a le train de dix-sept heures trente. Il est direct sur Sens.

— Non. Pas aujourd'hui. Est-ce possible demain ?

— Demain, le matin, tu prends le train de neuf heures. Il est plus propre. Il est plus silencieux et agréable. Il est aussi direct mais il faut que tu le prennes à Bercy et tu t'arrêtes là encore à Sens.

— D'accord. Qu'est-ce que je fais à Sens ?

— Je t'attends à la gare. J'appelle le restaurant de Joigny pour le dîner.

— Non. Je voudrais rentrer le soir. J'ai promis à maman d'être là pour les rois...

— Alors ce sera Teilly.

— Comme tu veux.

Il se tut.

— Mon Dieu ! Tu vas là-bas, c'est vrai, murmura-t-il avec une voix pleine d'angoisse. Il y a plus de trente ans au moins que je n'y suis pas retourné... Je te remettrai au train de cinq heures à Sens. Tu seras à six heures à Paris. Tu n'auras même pas à repasser par chez toi.

— Je préfère.

— Tu iras directement de la gare de Bercy à la gare Montparnasse.

— Oui.

— Le métro est direct.

— Oui.

*

40

Il l'attendait sur le quai long et horrible de la gare de Sens. Il portait une grosse chemise polaire noire au-dessus d'un jean noir. Il pleuvait mais il était coiffé d'un grand borsalino en cuir noir qui recouvrait son visage.

— Anne-Éliane, ne m'embrasse pas, je suis un peu malade. Je crois que j'ai un rhume.

Ann l'embrassa.

Il conduisait une vieille Citroën camionnette grise.

Ils suivirent la rivière et les saules. Il se gara sur la berge, dans un grand parking fermé devant la porte de la petite ville de Teilly.

Elle découvrit un village sur l'eau, entre Villeneuve-sur-Yonne et Joigny. Même pas un village. Un port datant du xviie siècle entouré de murailles. Les trois portes de la petite cité étaient si étroites qu'elles ne pouvaient laisser passer les voitures. C'était une sorte de petite Venise récente. La ville était entièrement piétonne et assez silencieuse. Les maisons étaient sévères, vieilles, noires et rouges. La municipalité avait décidé, après la guerre, de ne pas vouloir connaître plus de changement que tous ses morts. Plus tard, elle avait accepté l'argent de la région ou du département mais avait choisi les modernisations les moins visibles et les plus sophistiquées. C'est ainsi que le village était devenu plus rare, plus cher, plus naturel, moins démodé, plus riche.

Ils marchèrent cent mètres.

Il poussa une grille en fer qui donnait sur une cour misérable. Il y avait un solex dans la cour.

— Tu montes là-dessus ?

— Ces maisons appartenaient à mon ami. Il est mort.

— Pardonne-moi.

— Ne t'excuse pas. Il est mort il y a douze ans.

— Tu l'as beaucoup aimé ?

— Beaucoup plus que beaucoup. Je l'ai aimé tout court. Je l'ai aimé.

— Tu t'en sers ?

— Je l'utilise pour aller chercher des colis à la poste ou pour faire des courses au supermarché. La ville est sans camions ni voitures mais la mairie n'a pu empêcher les scooters, les solex, les mobylettes, les planches à roulettes.

— Je pourrais m'en servir moi aussi ?

— Quand tu veux.

— En Bretagne il y avait des solex.

— Il y avait surtout des grands vélos Peugeot avec d'immenses porte-bagages.

Ils entrèrent dans la vaste maison principale, sans grand intérêt, très propre, très confortable, trop meublée, trop coquette, cossue, d'une dizaine de pièces, où vivait Georges la plupart du temps.

S'étendait alors le jardin, ses buis, le cytise, les bambous, le massif d'hortensias, un petit jet d'eau contre un mur, des grands rosiers partout.

Au bout du jardin deux maisons plus anciennes donnaient sur l'eau. L'une à gauche, couverte de glycines. L'autre, à l'est, ensevelie sous le lierre.

Du fond du jardin — quand on était sur le bord de l'Yonne et qu'on se retournait — tout le mur arrière de la maison principale jusqu'à la gouttière noire, à la limite du toit, était couvert de vignes.

Les deux maisons sur la rive avaient chacune leur barque, chacune leur arbre. La barque noire de la maison au lierre était arrimée à un anneau fixé directement sur le mur qui donnait sur l'Yonne. Elle était protégée par les branches immenses et épineuses d'un églantier agrippé à la rive.

La maison aux glycines sur la gauche comportait quatre pièces. L'ami de Georges en avait fait autrefois son atelier. Elle était remplie de toiles retournées. Maintenant Georges y entassait tous ses disques vinyles, ses anciens électrophones, ses anciennes cassettes. Cette maison possédait une barque en matière plastique vert clair qui était perpétuellement abritée sous le saule.

La maison de droite dissimulée par le lierre n'était plus habitée depuis des années. Dans la première pièce qui donnait sur le jardin il y avait un vieux fourneau et une grande table de billard mitée. Dans la pièce qui donnait sur l'Yonne un lit d'autrefois, à balustres, très haut sur pied, entouré d'étagères. En haut, une chambre vide avec par terre des valises crevées. Partout aux fenêtres, dans les trois pièces restées à l'abandon, des vieux rideaux dévorés par les mites, couverts de poussière.

— C'est insupportable !

Ann avait de nouveau le visage recouvert d'une toile d'araignée.

— C'est infesté de toiles d'araignées.

— Mon voisin est fou de propreté.

— Je ne vois pas le rapport.

— Tout chez lui est passé à l'eau de Javel, y compris le poste de télévision, le grille-pain, la boîte aux lettres. Il est charmant mais il ne cesse de poursuivre avec une bombe tous les insectes qu'il aperçoit. J'explique comme cela que notre jardin en regorge. Toutes les araignées persécutées ont trouvé ici leur refuge.

Sur le bord de l'eau, il lui montra les arums, l'immense rosier redevenu églantier s'élançant à partir de la rive, la vieille barque de Loire noire, des pommiers, les canards colverts qui plongeaient sous les noisetiers et qui venaient se reposer à l'ouest sous le saule au bateau.

La pluie très fine tombait toujours, sans rompre le fil de la brume sur la rivière.

Le vieux pont de Teilly semblait flotter hors du monde, au-dessus de la brume pluvieuse.

CHAPITRE IV

— On y va à pied?

— Bien sûr.

Il tira la porte de la maison. Elle l'attendait sur le trottoir, devant la grille.

— Donne-moi le bras, lui demanda-t-il.

— Tout Teilly-sur-Yonne va chuchoter.

— Tant mieux. Quel bonheur!

C'est ainsi qu'ils se rendirent au restaurant situé directement sur les pavés du port, près du pont.

Le brouillard s'était enroulé le long des piles du pont et des tilleuls.

On ne voyait plus du tout l'eau du fleuve.

— C'est si agréable.

— Quoi donc?

— De sentir le bras d'une femme sur le sien.

Georges prit une caille (friture de noisettes, petite purée).

Ann prit un filet d'agneau (girolles poêlées).

Georges ne cessa de lui dire qu'il était fou de bonheur de manger avec elle.

Plus tard, en attendant l'heure du train, ils suivirent la rivière.

La brume s'était presque dissoute. Il faisait plus doux. Sur la berge pavée, il y avait un banc de pierre. Les vaguelettes étincelaient au-dessus des feuilles de nénuphars. Un petit prunus avait poussé dans l'interstice des pierres, à la limite de l'Yonne.

Finalement Ann Hidden ne parla de rien de précis. Georges la pressa de se confier à lui mais elle ne se confia pas. Il dit :

— Je ne doute pas que ma petite condisciple soit devenue un escargot de Bourgogne et je vois bien qu'elle se retranche dans sa coquille.

Elle lui prit la main alors pour qu'il se taise.

Plus loin ils arrêtèrent de marcher.

Elle lui dit :

— Georges, je veux plus que rompre avec Thomas : je veux couper tout contact. Pas avec toi, bien sûr. *Sauf avec toi.* J'ai besoin de toi.

— Que dois-je faire ?

— Je ne sais pas. Pour ce qui me concerne je veux *éteindre* la vie qui précède.

— Tu es un peu dérangée.

— Non. Je ne sais encore comment je vais m'y prendre. Pour l'instant reste à mes côtés, sois patient, sois mon ami ! Sois mon seul ami. D'accord ?

— Je suis d'accord mais pourquoi ?

— Pas de pourquoi et garde-moi le secret !

— J'adore les secrets.

— Pas les secrets. Le secret.

— Je te promets le secret sur tout.

La joie de Georges s'enflamma. C'était un homme extrêmement sentimental. Qu'est-ce qu'un homme sentimental ? Quelqu'un qui adore ne pas manger seul. Quand Georges songeait qu'il allait dîner avec Ann il en avait les *larmes aux yeux*. Même s'il ne pleurait pas en vérité il se disait : « Je mange avec elle. J'en ai les *larmes aux yeux*. »

*

Elle fut reine le soir même.

Tard dans la nuit.

Reine en sabots.

Et ce fut au grand désespoir de sa mère.

« C'est un signe », pensa Ann en se glissant dans son lit d'enfant, tirant sur elle son édredon (elle cherchait avec les pieds la bouillotte de cuivre). « C'est bien le signe que j'ai raison de désirer quitter ce monde. »

*

Au terme du déjeuner du dimanche 11 janvier, Madame Hidelstein apprit à sa fille âgée de quarante-sept ans qu'il n'était plus question, lorsqu'on coupait le roquefort, qu'elle prît toute la moisissure.

— La moindre des choses, ma petite, est que chacun prenne sa part de blanc.

Elle avait froncé le front.

Alors ses yeux bretons étaient devenus bleu intense.

Bleus comme la peau d'un requin.

Ann sentit soudain à l'intérieur de son propre corps tout le ventre et le torse de sa mère qui frémissaient d'impatience sourde et d'irritation à son encontre.

Au bout de quelques heures aux côtés de sa mère toute la petite enfance revenait.

Toute la frustration, la dépendance, l'éducation, les obsessions maniaques, la détresse, la haine réaffleuraient.

Toute l'atmosphère se tendait de nouveau comme une corde de violon sur la touche.

Toutes les joies qu'elle s'était promises avant de venir se transformaient de nouveau en épreuves difficilement supportables. Quand, au dessert, elle se leva et alla sortir du four la nouvelle galette, la fille unique tricha pour que sa mère fût enfin reine. Mais, quand elle revint à table avec elle et qu'elle la découpa, elle se trompa dans sa ruse. Elle voulut placer quand même la couronne sur les vieux petits cheveux de sa mère furibonde. Sa mère ne le permit pas. On coupait dans ces années-là, en Bretagne, sur le bord de l'océan Atlantique, en France, au début du XXIe siècle, les cheveux des vieilles dames très court. Cela leur faisait des têtes de petits garçons. Puis on les teignait dans une atroce couleur blanc bleuté semblable aux bains de bouche que les dentistes prescrivaient aux mâchoires malheureuses.

CHAPITRE V

La mère d'Ann vivait seule en Bretagne dans une villa majestueuse édifiée par son grand-père. Quand son grand-père était mort, quand son père les avait abandonnées, Marthe Hidelstein n'avait jamais voulu se séparer de cette demeure trop grande. Elle n'avait jamais voulu la quitter même pour les vacances. Elle attendait son mari. Elle estimait que son mari, éprouvant une brusque culpabilité, allait revenir subitement, poser un genou sur le tapis du salon — voire sur le paillasson de l'entrée — voire dans le sable de la plage — et lui demander pardon.

Elle était bien décidée à accorder ce pardon.

Deux autres villas second Empire suivaient, tout aussi imposantes, donnant elles aussi sur la plage, plus loin, en bordure de mer, avec des ornements plus intéressants et beaucoup plus anglais et tarabiscotés.

La maison des Hidelstein était sans pignon, sans tonnelles, sans briques apparentes. Ses seuls ornements se limitaient à une grande baie vitrée en bow-window donnant sur l'océan, une haute bordure de

49

balustres élevés au bas du jardin — devancée par une longue ligne d'hortensias bleus — et un grand escalier tournant, toujours recouvert par le sable, qui descendait directement sur la route qui longeait la plage.

Chaque grande marée, l'eau traversait la route.

Aux marées d'équinoxe, la mer commençait à gravir la pente assez raide. Il arrivait, si le vent soufflait en tempête, qu'elle parvînt jusqu'à la grille et qu'elle recouvrît les hortensias.

Deux étages, six chambres dont quatre minuscules, tout en haut, elles-mêmes un peu salées et ensablées. Personne n'avait jamais vraiment vécu tout en haut. Ann avait eu un petit frère qui était mort en souffrant de façon indicible dans un hôpital parisien. Son père était parti presque aussitôt après le décès. Ann avait alors six ans. Les papiers peints (perroquets dans les chambres du premier étage, iris au deuxième étage) étaient tachés par l'humidité depuis toujours. Les coins se décollaient. Leur surface était toute pelucheuse, rongée par l'air maritime.

Sa mère s'était endormie sur sa chaise tout à coup, avant qu'elle eût fini sa part de galette. Sa fureur interne l'avait épuisée. Ann laissa sommeiller sa mère.

Elle se leva.

Elle glissa dans la poubelle la couronne en papier doré.

En ayant soin de ne pas faire de bruit elle gagna le salon.

Le salon était plein de cadres anciens, de photos de famille. Des centaines d'images recouvraient tous les murs. Sa mère partageait son temps désormais entre le salon et la cuisine. Elle avait mis son lit au milieu du salon.

Le résultat était très laid.

— Vois-tu, je ne peux plus monter à cause de ma jambe.

*

Ann éprouva le désir d'aller marcher sur la plage. Dans l'entrée elle s'enroula dans un des châles qu'y suspendait sa mère, les mêlant avec les écharpes et les chapeaux. Elle eut un vertige. Elle s'appuya contre la rampe. La porte d'entrée s'ouvrit d'un coup. Véronique entra.

— Éliane ?

— Oui.

— Qu'est-ce que tu as ? Tu n'es pas bien ?

— Si, si, je vais bien. J'allais sortir.

— Je voulais te dire qu'on dîne toutes chez moi ce soir.

— C'est qui toutes ?

— Toutes les filles.

— À chaque fois tu lances la même invitation.

— Donc tu joueras quelque chose comme chaque fois.

— Si tu veux, Véri, mais viens avec moi. J'ai envie de sortir.

— Je vais d'abord aller embrasser ta mère, dit Véronique.

— C'est inutile.

— Pourquoi dis-tu ça ?

— Elle n'a pas été reine. Elle dort.

— Tu aurais pu...

Ann l'entraîna dans le vent.

*

Elle jouait toute droite, les mains comme rondes, et extrêmement fort. Chaque fois que Véri entendait Ann jouer — depuis l'enfance —, l'intérieur de son corps se mettait à trembler sous la peau.

Ce n'était pas de la musique. C'était de la violence qui tout à coup cessait d'être contenue.

Le cœur, les poumons — sous les côtes, puis, quand Véronique eut des seins, sous les seins — tremblaient.

On était dans le petit appartement de Véri au-dessus de sa pharmacie, en Bretagne.

Ann se tenait devant le Gaveau acajou presque rouge.

D'étranges et bruyants chandeliers de cuivre à volutes étaient fixés directement sur le bord du pupitre et produisaient un bruit comminatoire.

*

Ann avait préparé elle-même le petit déjeuner, avant de prendre sa douche, à cause de l'heure du train.

Elle avait mis la table dans la cuisine.

Sa mère avait surgi soudain par la porte du salon, les petits cheveux blanc et bleu décoiffés au-dessus du crâne.

Ann remonta dans sa chambre chercher son sac, redescendit de l'étage, posa son sac de voyage dans l'entrée, revint dans la cuisine.

Elle servit le café. Sa mère pleurait déjà. Elle se tenait assise entre la table et la fenêtre, le dos raide, les bras crispés.

— Maman, tu veux un peu de café?

— Non.

Sa mère regarda boire sa fille en reniflant. Plissant les sourcils, elle se forçait à pleurer.

— Maman, il faut que j'appelle le taxi.

— Embrasse-moi!

Ann se leva et alla embrasser sa mère.

Il y a une extrême tendresse répugnante, excessive, malodorante, osseuse, chez les vieilles gens. Elles vous prennent dans leurs bras. Leur étreinte à elles-mêmes fait mal — tandis que les os, leur légèreté, leur finesse, poils hirsutes, épingles, barrettes, bracelets vous piquent.

— Il faut bien que je fasse ma liste puisque tu t'en vas!

Ann reposa la tasse dans la soucoupe et contempla sa mère. Elle observa les doigts déformés et grossis par l'arthrose, rongés par la proximité incessante de l'océan, peinant à se serrer autour du stylo-bille Bic afin d'écrire la liste de courses qu'elle donnerait à la femme de ménage. Madame Hidelstein serrait ses lèvres. Elle était toute tendue et s'acharnait sur les mots qu'elle écrivait — carottes, scarole — afin qu'ils se tiennent bien droits sur sa liste.

CHAPITRE VI

Le lundi, à Paris, avec lassitude, quand elle fut de retour, elle vit de la lumière à toutes les fenêtres. Thomas avait mis la table dans la salle à manger. Il l'attendait pour dîner.

— Cela s'est bien passé? Ta mère allait bien? Qui a eu la fève?

— Très bien. Très bien. Très bien.

— Tu as vu...

Il montrait la table mise, les verres à vin, les bougies allumées.

— Très beau mais je suis fatiguée.

— J'ai préparé...

— Je n'ai pas faim. Excuse-moi. Je suis vraiment fatiguée.

Elle monta se coucher.

Le lendemain matin il était encore à l'attendre, coiffé, habillé, cravaté, rasé, au bas de l'escalier.

— Ann, il faut que je te parle. C'est nécessaire.

— Parle.

— Si nous partions ensemble en Angleterre? en Écosse? Je pars pour Londres dans quinze jours. Le samedi 31. J'y vais par l'Eurostar. Je dois travailler toute la semaine à Londres. Je serai de retour le dimanche qui suit.

— Tu reviens le 8 février.

— Oui, le 8. Voilà ce que j'aimerais. Pourquoi toi, tu ne me rejoindrais pas le vendredi ?

— Le 6 ?

— C'est cela. Le 6. Nous prendrions trois ou quatre jours. Nous mordrions sur la semaine qui suit.

— Cela ne me convient pas.

— Pourquoi ?

— Je n'en ai pas envie.

— Ce n'est pas une réponse.

— Je ne veux pas et je ne peux pas.

— Mon Dieu !

— J'ai du travail chez Roland.

— Mais tu prendrais seulement le week-end ?

— Non.

— Tu dis toujours non.

— C'est exact.

— C'est non à cause de moi ?

— Même pas. C'est comme ça. Je dis non. Je n'ai pas besoin de prétexte pour dire non.

Elle le contourna.

— Maintenant il faut que j'aille travailler !

Elle enfila son imperméable. Elle claqua la porte. Elle traversa le jardin. Elle partait toujours une heure plus tôt que lui — qui rentrait beaucoup plus tard. Désormais elle était contrainte de feindre de partir travailler. Elle errait, attendait qu'il fût parti, faisait des courses çà et là, revenait, épiait les lumières aux fenêtres, ou encore son départ sur l'avenue, réfléchissait, notait elle aussi des listes à l'instar de sa mère durant des heures, pleurait parfois. Elle s'était remise à fumer de façon excessive des Lucky pour contraindre le bonheur.

*

Soudain elle s'écarta avec répulsion du tiroir du bureau à cylindre.

C'était là où elle rangeait toutes les photos.

Elle entendit en bas un bruit violent de fer.

Elle courut à la fenêtre.

L'agent immobilier avait poussé la grille et était déjà dans le jardin, impatient. Ann referma en poussant des deux mains l'immense tiroir.

*

Ils allèrent dans la cuisine prendre un café en attendant l'antiquaire.

— Je vais peut-être — une ultime fois — changer d'avis.

— Vous ne voulez plus vendre ?

— Bien sûr que je vends. Je pensais au mobilier.

— Voilà notre antiquaire !

Il montra par la fenêtre de la cuisine un casque de moto qui surmontait la grille.

Ann sortit pour aller lui ouvrir.

Elle le précéda dans la maison. Elle désira lui montrer tout ce qu'elle souhaitait vendre. Mais il ne voulait pas procéder ainsi.

— Commençons par le commencement, déclara-t-il après avoir ôté son casque et y avoir plongé ses gants en cuir.

Il tira son mètre et commença par tout mesurer. Au bout de deux heures, il lui tendit une liste.

— C'est la liste des meubles ?

— Non. C'est la liste des objets qui m'intéressent. Il faut que j'aille chercher mon appareil photo. Seules cinq pièces m'intéressent vraiment.

— Alors non, vraiment non, je ne souhaite pas qu'on fasse ainsi.

— Mais comment voulez-vous que je fasse ?

— Faites-moi une proposition pour l'ensemble du mobilier sans les pianos.

— Je n'en ai pas les moyens. Je m'engage sur les cinq meubles que je vous ai indiqués. Je vous fais une proposition. Je vous l'adresse ici.

— Non. Je préférerais que vous passiez par l'agence.

— Comme vous voudrez.

— La plus belle chose que vous ayez est sans conteste le grand Steingraeber mais je ne peux pas.

— Ne vous inquiétez pas des pianos. C'est mon affaire. Je connais des collectionneurs qui seront intéressés. Je m'en occupe.

Il remit son casque. Ann le raccompagna. Il monta sur sa moto. Ann réfléchissait. Elle se tourna vers l'agent immobilier qui dormait debout. Le temps était gris. Ils se tenaient sur le trottoir.

— Pour l'instant on met en vente la maison. C'est la seule chose dont je sois certaine. Pour toutes les autres ventes je vais voir. Je vous tiens au courant. Je vous rappelle.

Elle le raccompagna à sa voiture.

*

Quand elle revint il était midi. Le soleil avait resurgi dans le ciel.

Les rayons du soleil inondèrent le trottoir, le jardin, les degrés de pierre, la façade de la maison.

La maison était très belle dans la lumière d'hiver.

« J'ai raison, se dit-elle. Ce soleil a raison. Ce rayon de soleil qui touche ma maison est le plus ancien et le plus sûr des signes. Il faut vendre. »

Elle alla chercher son chéquier, son sac, son imperméable, se rendit sur-le-champ à sa banque.

Elle demanda à sortir en liquide dix mille euros.

— C'est beaucoup.

— Vous préférez que je retire tout ?

— Ne le prenez pas ainsi, madame.

— Mademoiselle.

— Mademoiselle, nous avons besoin de deux jours. Il va nous falloir déclarer ce retrait en liquide. À plus de huit mille euros nous sommes contraints de...

— Je ne sors aujourd'hui que sept mille euros.

Elle se rendit à la caisse et sortit sept mille euros.

Elle quitta la banque. Elle se dirigea vers la piscine. Elle avait toujours son sac de sport dans le coffre de sa voiture.

*

Le lendemain, Ann fut presque ahurie quand la jeune assistante de l'agence immobilière l'appela sur son portable : il y avait une proposition d'achat. Ceux qui se portaient acquéreurs s'étaient déjà amusés à regarder par les interstices de la grille. Ils habitaient Bruxelles. Ils auraient aimé visiter — épouse, enfants, tout le monde — le plus tôt possible. Tout pouvait être fait très rapidement — avant six mois, si possible avant l'été, l'acheteur étant déjà nommé à Paris. Il souhaitait repeindre tout puis organiser son déménagement pendant les vacances scolaires de l'été. Le prix de départ ne semblait pas poser de problème. C'étaient l'emplacement, le jardin, le nombre de pièces qui les intéressaient par-dessus tout. Quand pouvait-elle venir avec eux ? Aujourd'hui ?

— Non.

— Demain matin ?

— Non.

— Avant la fin de la semaine. Ils sont à Paris.

— Demain si vous voulez mais pas avant onze heures. Je dors tard.

Elle dit aussi qu'elle préférait ne pas être présente. Elle ne dit rien à Thomas.

CHAPITRE VII

Elle tenait de nouveau dans ses mains les photos de son père. C'était un petit homme mince, le nez aigu. Les cheveux gominés comme autrefois, coiffés en arrière, mais rebelles, un peu hirsutes. Elle redescendit à la cuisine. « Il faut tout jeter, se disait-elle. Quelque angoisse que j'éprouve il faut tout jeter. Je sais qu'il faut se séparer de tout. » Elle alluma un des feux et enflamma une à une les photos de son père. Elle les lâchait soudain quand la flamme léchait la chair. Elle en laissait tomber les cendres dans un des éviers métalliques. Elle brûla presque tout ce que contenait le tiroir du bureau à cylindre. Avec une petite éponge elle ramena les cendres dans sa main. Elle les jeta dans la poubelle. « C'est cela, c'est cela, se disait-elle, il faut tout jeter et brûler tout ce qui n'est pas jetable. » Elle sortit d'un placard de la cuisine le stock des sacs-poubelle en plastique. « Chaque jour j'en remplirai un. » Elle prit un morceau de scotch blanc mat sur lequel elle nota le nom qu'elle avait donné à l'agence, sortit dans le jardin, ouvrit la grille sur l'avenue, le fixa sur la boîte aux lettres. Elle monta au dernier étage et remplit un sac de cent litres de vêtements. Cela l'angoissait de plus en plus. Elle téléphona à Emmaüs. Elle téléphona au Secours catholique. Comme il était difficile de donner ! Ils acceptaient de recevoir. Ils refusaient de prendre. On sonna à la grille.

Elle referma la porte de la chambre, prit sa veste.

Elle donna un jeu de clés au directeur de l'agence qui s'était déplacé.

— Vous les glisserez dans la boîte aux lettres quand vous aurez fini.

Elle prit sa voiture, alla à la piscine.

Son corps, en s'épuisant, chaque fois qu'elle plongeait dans l'eau d'une piscine — chaque fois qu'elle se retrouvait dans le son si étrange d'une piscine —, recouvrait une sorte de puissance.

Malgré le crawl violent, malgré l'effort, la fatigue, elle ne parvint pas à arracher du fond de son ventre l'angoisse qui l'envahissait.

Sortant de la piscine, elle entendit sonner les vêpres ; elle vit l'église ouverte.

Ses cheveux étant encore trempés, elle hésita.

Elle était toujours un peu révérencieuse quand elle entrait dans l'obscurité d'une église.

Mais elle entra.

Elle trouva un coin où s'asseoir dans une petite chapelle adjacente au chœur.

Elle écouta les hymnes et les psaumes.

Elle respira longuement mais sans grand fruit. L'angoisse ne cédait pas, ne reculait pas en elle.

Elle reprit sa voiture, trouva à se garer juste devant chez elle, ôta le nom sur la boîte aux lettres, monta au deuxième étage, emplit un nouveau sac.

Ce fut ce soir-là qu'elle cessa de pleurer.

*

Survint un état d'apesanteur.

Étrange état où le corps s'éloigne légèrement de lui-même. Où tout s'assèche dans le monde interne. Où la lucidité ou du moins le vide commence à se mouvoir dans l'espace du crâne.

Où, si la souffrance persiste, elle fait moins souffrir.

Où au moins la souffrance fait souffrir d'un peu plus loin qu'à partir du corps lui-même.

*

Elle longea la rue obscure du VIe arrondissement. Le trottoir était très étroit. Elle s'était maquillée avec soin. Elle était longue et belle, le corps tout élancé, les cheveux ramassés en chignon. Elle portait une robe de soirée grise. Elle rejoignit Thomas au vernissage de l'exposition. Ils la quittèrent vers vingt et une heures.

Ils se retrouvèrent dans la nuit la plus noire.

De nouveau la ruelle étroite.

— Tu crois qu'il y a un restaurant par ici?

— Je n'en sais rien! Ma voiture est garée sur la place du petit marché. Devant la piscine.

— J'ai très faim. Tu n'as pas faim?

— Pas vraiment.

— Il faut qu'on dîne ici avant de rentrer.

Il la prit par le bras.

— Je voudrais qu'on soit comme avant, lui dit-il.

Elle ne répondit pas. Il marchait plus lentement. Il la serrait contre lui.

— Je t'aime, dit-il.

— Tiens ! Regarde là-bas.

— Regarde-moi plutôt.

Elle le regarda.

— Je souffre, dit-il.

Il faisait une tête si misérable qu'elle soupira :

— Allons manger quelque chose puisque tu as faim.

*

L'agence rappela à la fin de la matinée. C'était oui. Le Bruxellois avait versé un premier acompte. Ann demanda à l'agence de s'occuper de tout. Ils préparaient les papiers. Ils contacteraient le notaire.

— Vous n'aurez pas à rencontrer les nouveaux propriétaires avant la signature.

— Quand ?

— Disons dans trois mois.

— Et la promesse de vente ?

— Pour la promesse de vente il n'est pas nécessaire que vous soyez là.

— Ce sera quand ?

— Tout de suite. Tout début février. Du moins je crois.

— Le 7 février si c'est possible.

Il demanda à son assistante.

— Je sais qu'ils ne peuvent venir que dans la proximité d'un week-end.

L'assistante rappela.

Ils étaient d'accord pour le 7 février.

La rapidité ou la proximité de la signature de la promesse de vente la bouleversa. L'angoisse fut brusque et totale. Elle avait pensé qu'il faudrait des mois entiers de tergiversations.

Elle se dit : « Le 7 me portera bonheur. Février *touche* le printemps. »

*

— Je quitte Paris.

— Vous vous installez où ?

— Je ne sais pas encore.

La préposée lui expliqua comment procéder pour ouvrir une boîte postale.

Elle fit une procuration au nom de Georges Roehlinger.

Elle acheta des chèques de voyage.

*

Elle appela l'antiquaire d'un café voisin de la poste. Elle acceptait la proposition qu'il lui avait adressée à condition qu'il lui trouvât un brocanteur pour les meubles restants et que tout eût lieu la première semaine de février. Elle appela l'agence.

— Finalement, pour les meubles, je m'occuperai de tout moi-même.

Le brocanteur la rappela aussitôt. Il lui conseilla un ami qui ferait le déménagement. Ils convinrent du lundi 2 février ou du mardi 3.

*

Elle ne prit pas le temps de déjeuner.

Le garage était situé au-delà du périphérique, à Bagnolet.

Elle dit qu'elle voulait vendre sa voiture. Qu'il lui fallait faire vite.

— Pourquoi?

— J'ai trouvé un travail aux USA.

— Vous avez de la chance.

— Je ne sais pas si j'ai de la chance.

Ils allaient préparer tous les papiers. Soit ils lui laisseraient l'usage de sa voiture. Sinon ils lui prêteraient une autre voiture jusqu'au samedi 7 février au matin. Ils l'appelleraient.

*

Elle se rendit une dernière fois à l'agence de sa banque parisienne. Elle sortit de nouveau sept mille euros en espèces. Elle laissa l'argent nécessaire pour régler les impôts suivants, les paiements anticipés, les comptes automatiques. Elle demanda qu'on établît un chèque de banque sur le reste.

*

Il était quatre heures. Elle appela Georges sur son portable. Pouvait-il l'accueillir pour le week-end ? Il était fou de joie. Ce fut du moins ce qu'il lui dit.

Elle prit un billet pour Teilly-sur-Yonne mais, arrivée trop tôt à la gare de Lyon, elle prit le train d'avant pour Dijon. Elle descendit en gare de Sens où elle prit un taxi.

Elle lui fit la surprise de l'appeler sur son portable quand elle fut en face de chez lui afin qu'il vînt lui ouvrir la porte. (Georges ne répondait jamais à l'appel de la sonnette.)

Ils allèrent dans le restaurant fabuleux qui se trouvait sur le mail. Georges répéta qu'il était fou de joie. Elle parlait de Thomas. Il lui dit :

— Tu es une héroïne antique.

Elle reprit :

— Georges, je veux te poser quatre questions.

Elle hésita alors.

— Tout à coup c'est si étrange d'être à tes côtés !

— Comme quand on était petits, côte à côte, en classe, avec notre ardoise et notre craie !

— Cela me fait drôle d'être là et de te *tutoyer* !

— Arrête ! Nous nous sommes toujours tutoyés !

— Étranges retrouvailles !

— J'étais en plein deuil.

— Georges, j'entre moi aussi dans une espèce affreuse... ou merveilleuse... d'adieu.

— Oublie les adieux ! Restons-en aux retrouvailles ! Raconte ! Qu'est-ce que tu t'apprêtais à me

66

dire ? Je vais prendre le pigeon aux fèves. Au fait qui a eu la fève en Bretagne ?

— Je voulais que ce soit maman. J'ai tout fait pour qu'il en soit ainsi. J'ai tout fait pour qu'elle soit contente. Je ne sais pas comment je m'y suis prise. Les deux fois j'ai raté mon coup.

— Tu veux dire que tu as été deux fois reine ?

— Oui.

— Et tu prétends que les deux fois tu avais vu où se trouvait la fève et que tu as tout fait pour que ta maman la découvre dans sa part ?

— Oui.

Ann leva les yeux et vit que Georges ne la croyait pas.

Ils goûtèrent l'entrée en silence. Elle but un peu de vin. Elle dit enfin :

— Georges ! Je veux te poser quatre questions. Quatre questions auxquelles tu réponds par oui ou par non sans la moindre gêne.

— Pourquoi éprouverais-je la moindre gêne ?

— Premièrement accepterais-tu que je mette de l'argent sur ton compte ?

— Non, ça, je crois que je n'aimerais pas. Je ne l'accepterai jamais. Je ne suis pas riche mais je me débrouille très bien.

— Ce n'est ni pour t'aider ni pour t'humilier. J'ai besoin d'un compte invisible.

— Mais j'ai ma fierté.

— C'est que je m'y suis mal prise.

— Anne-Éliane, admets quelque chose : deux condisciples se retrouvent. Ils s'invitent au restaurant.

Ils ne vont pas s'empresser de tout bousiller avec de l'argent sur leurs comptes bancaires.

— Laisse tomber. Oublie. Deuxième question : je voudrais t'acheter la petite maison à l'abandon qui est dans ton jardin, à droite.

— La maison au lierre ?

— Oui.

— Tu la veux ?

— Oui.

— Pourquoi ?

— Je vais te dire pourquoi. C'est une sorte de Gumpendorf.

— C'est quoi une Gumpendorf ?

— *Un* Gumpendorf. Le vieux Haydn appelait sa maison de Gumpendorf sa hutte. Il disait que son âme était tout entière dans cette hutte. Qu'une fois entré à l'intérieur d'elle il était sûr d'écrire. C'est d'ailleurs là, tout près de Vienne, qu'il a écrit ses plus belles œuvres.

— Mais prends-la, Anne ! Prends-la ! Elle est à toi. Je n'ai pas besoin de te la vendre et tu n'as pas besoin de l'acheter pour en faire ta hutte et y écrire !

— Écoute ce que je te dis. D'abord, Georges, jure-moi le secret.

Il jura solennellement.

Elle lui demanda de trinquer pour contraindre le serment qu'il avait prêté.

— Regarde mes yeux !

Le serveur apportait le bar (trompettes de la mort), le gros pigeon ventru (fèves).

— Je vais vendre la maison de Paris.

— Mon Dieu ! Tout ça pour...

— Ne commente pas !

— Je ne commenterai pas mais es-tu certaine que tu n'es pas en train de faire une niaiserie à cause de ce que tu as *cru voir* dans une ruelle de Choisy-le-Roi surmontée par un gros laurier ?

— Épargne-moi tes commentaires. Pas de commentaires ni de jugements. Je ne veux de toi que l'amitié et le secret.

— Ne t'énerve pas.

— Donc c'est lancé. La vente va se faire. Un couple de Bruxellois signe la promesse de vente le samedi 7 février.

Il l'écoutait avec stupéfaction et, soudain, avec inquiétude :

— Thomas est au courant ?

— Non. Je veux momentanément disparaître. Et il n'est pas question qu'il le sache. Personne de mes proches ne soupçonne même ton existence. Même maman l'ignore.

— Ma réexistence ?

— Oui. Je vais donc me retrouver avec beaucoup d'argent et je ne veux pas d'adresse.

— Attends ! Tu vas donc me quitter aussi ?

— Oui.

— Ann, je suis franchement déçu.

— Je reviendrai.

— Et ton *Gumpendorf* tout neuf ?

— Plus tard. Je reviendrai plus tard.

— Donc tu effaces tout. Tu dissimules l'argent. Tu changes de nom peut-être ?

— Pourquoi pas?

— J'avais raison tout à l'heure. Tu es pis que folle. Tu vas devenir un personnage de conte.

— Saisis-tu pourquoi j'aurais aimé l'hospitalité discrète de ton compte bancaire, Georges?

— Je saisis.

— Il faudrait aussi préparer une carte de crédit sur ce compte, Georges. C'est possible?

Il se tut. Il but. Il la regarda. Il dit :

— On pourrait joindre les comptes?

— Non, mon nom apparaîtrait.

— Tu veux seulement une procuration?

— Oui.

Ils se rendirent tous les deux le lendemain à l'agence de la banque de Georges Roehl à Auxerre. L'agence était ouverte le samedi jusqu'à seize heures. Une fois les papiers remplis et signés, Georges partit faire des courses et elle alla dans une agence de voyages qui se trouvait près de là. Elle avait longtemps nourri le désir de vivre dans un petit appartement à New York. Mais le jeune homme qui se trouvait au comptoir lui fit découvrir que les Européens ne pouvaient plus se rendre aux États-Unis librement. Les dossiers personnels des passagers étaient servilement communiqués par les compagnies aériennes de tous les États membres de l'Union européenne à Washington.

Ann retrouva Georges pour déjeuner sur la place d'Auxerre.

Il était très maussade (bien qu'il mangeât avec elle).

— À peine arrivée dans ma vie tu pars !

Elle haussa les épaules. Elle lui expliqua ce que lui avait appris le garçon de l'agence de voyages.

Pour conserver un peu de clandestinité il ne suffisait plus de dire : « Tu n'es qu'un dieu de bois. »

Georges et elle s'amusèrent à établir la liste des pays où tous les déplacements étaient surveillés.

Toutes les compagnies américaines ou raccordées aux compagnies américaines devaient être évitées en raison de ce que l'employé de l'agence de voyages avait appelé Passenger Name Record.

De plus Georges avait lu dans un magazine que la localisation de l'appel des portables était devenue un service.

— Donc pas de téléphone portable, dit-il.

— Pas d'adresse e-mail. Ne pas conserver son ordinateur.

— Pas d'avion hors de la zone euro.

— Pas de carte bleue, dit-elle.

Georges lui dit :

— Par conséquent il faut que tu trouves une destination autour de la Méditerranée ou en Asie.

Ils retournèrent à l'agence pour annuler sa demande de carte. Des chèques suffiraient. Les chèques n'indiquaient pour provenance que celle qu'on voulait bien y inscrire. En revanche elle acheta de nouveaux chèques de voyage.

*

En rentrant d'Auxerre elle appela l'entreprise de maçonnerie et de peinture de Villeneuve-sur-Yonne. L'entrepreneur :

— Je peux venir demain, si vous le voulez.

— Mais c'est dimanche...

— Je n'ai pas de travail en ce moment. Janvier est un mois creux. Après les fêtes les gens n'ont plus d'argent.

— Les gens attendent le printemps.

— Comme les peintres, dit-il.

— Comme les fleurs, dit-elle.

CHAPITRE VIII

Le 20 janvier le compte à rebours commença à s'effilocher et à hésiter. À force de consacrer son temps à ces rangements furtifs, à force de jeter en cachette, à force de préméditer le vide, une vague de détresse la submergea de manière progressive. Il est difficile de se séparer de ce qu'on a aimé. Il est encore plus problématique de se séparer de soi ou de l'image de soi. Pendant quelques jours, à Teilly, Georges reprit espoir. Il lui expliqua qu'il était toujours temps d'arrêter tout. Ann Hidden se rendit compte que la vie qu'elle menait à Paris, si elle était mensongère, n'était point si désagréable. Les conditions aussi avaient changé. Elle ne voyait presque plus Thomas. Elle aurait sa hutte-Gumpendorf toute remaçonnée et repeinte à Teilly dès qu'elle le souhaiterait. Elle avait eu raison de renoncer à son travail dans le VIIIᵉ arrondissement. La vie qu'elle découvrirait ailleurs serait-elle vraiment plus concentrée ? Plus propice à la création ? La solitude radicale constituait-elle vraiment une denrée succulente ?

Et où pourrait-elle s'exiler?

Elle ne pouvait plus se rendre chez Warren à Sydney.

Elle ne pouvait plus s'installer à New York comme elle avait toujours rêvé de le faire.

Elle était prise d'un début de peur.

L'angoisse s'amplifia, se mêla au vertige.

Elle alla au cinéma. C'était un beau film qui se déroulait à Shanghai où tout errait — mais où tout errait dans le temps.

Elle prit la décision de rester ici, en France, à Paris — sinon de poursuivre une vie commune avec Thomas. Cela ne l'empêchait nullement de rompre.

Une telle résolution l'apaisa.

*

Elle rentra chez elle à pied, l'esprit plus libre. Elle marcha longuement dans des restes de feuilles mortes, dans des petites plaques de givre, dans la nuit tombée.

Elle descendit à la cave.

Elle choisit une bouteille de vin de Bourgogne.

Elle choisit pour fêter sa résolution quelque chose de sublime qu'elle remonta au salon, qu'elle déboucha, qu'elle laissa à l'air, qui avait une odeur merveilleuse.

Une impression plus triste se glissa en elle, se fondit à la paix qu'elle avait recouvrée.

Elle but une gorgée, puis elle transporta son verre. Elle le posa sur le piano.

Le soir, quand Thomas rentra, elle était toujours au piano et travaillait encore. Il fut doux et gentil. Il l'embrassa sur les cheveux pendant qu'elle continuait de lire, de déchiffrer, de noter, de réduire. Elle l'entendit dans son dos ; il devait se servir un verre de whisky ; il s'asseyait derrière elle, dans le grand fauteuil noir.

Elle continua de lire au piano la photocopie d'une partition qu'elle avait dénichée à la Bibliothèque nationale et qu'elle cherchait à retranscrire.

Le plus souvent elle ne composait pas.

Elle simplifiait jusqu'au dénuement les partitions qu'elle exhumait ou leurs souvenirs. Elle résumait, désornait, taillait, amenuisait, condensait jusqu'à ce qu'elle fût bouleversée par ce qu'elle avait obtenu.

Quand ce fut juste bouleversant, elle s'arrêta. Elle était très émue.

Elle rejoua à l'intégrale ce qu'elle avait réduit. Elle se retourna.

Il dormait dans le fauteuil noir.

Elle prit son verre, passa devant lui, se rendit à la cuisine, mangea sur le pouce, finit la bouteille de vin merveilleux. Quand elle passa devant la porte du salon : il dormait encore. Elle monta. Dans l'armoire de la salle de bains elle prit un Lexomil. Mais elle se mit à rire toute seule. Elle ne l'avala pas. Elle se répéta : « Adieu. » Elle se baissa et jeta le Lexomil dans la petite poubelle en métal. Elle était sûre d'elle désormais. Elle alla directement dans la chambre du deuxième étage. Elle était toute réjouie. Elle savait qu'elle partait.

*

Elle ouvrit ses yeux, regardant, au-dessus de son visage, les branches nues, luisantes d'eau, de l'orme qui touchaient le verre de la lucarne.

Elle se réveilla dans le même état d'esprit que celui dans lequel elle se trouvait lorsqu'elle s'était couchée. Elle pensa : « Ma décision devait être excellente. J'ai dormi comme un loir. L'angoisse m'a quittée. Je n'ai pas eu de rêve. »

Le vendredi 23 janvier elle vendit les trois pianos de sa vie. Elle les vendit à bon prix. Même, elle vendit le Steingraeber au-dessus de son prix parce que c'était elle. Elle était connue même si les œuvres qu'elle composait étaient difficiles. Elle ne ressentit rien. La transaction se fit en espèces. La somme était considérable.

Les déménagements des trois pianos ne pourraient avoir lieu que le 5 février.

L'abandon s'éloignait.

Tant qu'il couve, le sentiment de la colère emplit le torse d'énergie, exalte le cerveau, soutient les projets que l'âme a conçus. Soutient le regard. Étaie les heures. Excite le temps.

En quelques jours elle maigrit beaucoup.

Elle flottait dans son jean noir.

Elle rappela l'antiquaire, le brocanteur, le déménageur.

Tous convinrent de la date du mardi 3 février.

Elle se rendit au fisc, ne dit pas qu'elle partait, ne

mentionna pas la boîte postale, mensualisa l'impôt sur l'ancien compte bancaire.

*

Quand elle descendit dans le salon, l'odeur de cigare y était restée si forte qu'elle dut ouvrir toutes grandes les fenêtres.

Elle ne supportait plus la présence de Thomas. Odeurs, retours, attentions, présence mendiante, bruits, linge sale, coups de téléphone, tout l'offensait.

Elle appela en Bretagne. Elle ne dit rien à sa mère. Pendant une heure elle se résigna à écouter sans impatience toutes ses plaintes.

À Georges :

— Je peux venir ?

— Tu peux venir.

Se rendant à Teilly par le train, elle téléphona à Thomas :

— Je suis dans le train pour Rennes. Je vais voir maman. Véri a appelé. Cela ne va pas du tout.

Elle ferma son portable. Elle resta longtemps assise. Elle fit glisser ses souliers soudain sur le plancher du TER. Elle posa le bout de ses pieds sur la banquette bleue en face d'elle.

Elle tira jusqu'à son visage le bas de sa jupe pour s'essuyer les yeux.

Elle s'endormit.

*

Elle donna à Georges l'argent qu'elle avait obtenu de la vente des pianos.

Il était affolé.

— Je vais le porter tout de suite à l'agence d'Auxerre.

— Je pense qu'il faut le garder ici. Je vais en avoir besoin pour partir.

Elle lui expliqua ce qu'elle avait prémédité.

Georges sortit néanmoins la camionnette grise et alla déposer une partie de l'argent dans un coffre à Auxerre.

Les travaux de la petite maison au lierre avançaient au rythme que l'entrepreneur avait promis.

Ils longèrent la pelouse trempée et la roseraie.

Ils allèrent voir, avec admiration, avec satisfaction, la nouvelle salle de bains minuscule.

Pour le reste ce n'étaient encore que plâtre et gravats.

La façon de procéder qu'avaient imaginée les ouvriers était compliquée parce que, pour ne pas gêner Georges, ils passaient par la rivière. Ils entreposaient leur matériel dans une barge de pêcheur.

Georges lui dit quand le soir fut tombé :

— Je vais sans doute faire réaccorder le piano. Je voudrais que tu regardes. Je voudrais que tu me joues quelque chose maintenant.

— Quoi ?

— Quelque chose comme autrefois quand ta mère acceptait qu'on dorme chez Véri.

— Non. C'est idiot.

— Alors quelque chose que tu aurais vraiment

envie de jouer dans ce moment de ta vie. Je veux dire : ce que tu as envie, là, une toute petite chose, au fond de toi, de jouer maintenant.

— Dans ce cas j'ai quelque chose, bien sûr. J'ai ce qui me hante. Tu es comme Véri !

— Souviens-toi que Véri était une bien meilleure amie pour moi qu'elle l'a jamais été pour toi !

Ce ne fut pas long. C'était un Érard très étroit, très pâle, presque jaune, fragile, au toucher extrêmement léger.

Le piano rendait un son de clavicorde.

Mais, quand elle eut terminé, ils n'osèrent pas se regarder. Ils avaient tous les deux des larmes qui étaient montées sur le bord des paupières et qui hésitaient.

*

Le dimanche, dans la vieille camionnette Citroën, alors que Georges Roehl la reconduisait à la gare, elle lui dit :

— Peux-tu rester à Choisy jusqu'à la fin de la semaine ?

— Jusqu'à samedi du moins. Samedi, il faut que je sois à Teilly. Pourquoi ?

— Pour rien. Tu resteras jusqu'à samedi à Choisy ?

— Oui. Si tu veux. C'est d'ailleurs ce que je comptais faire. Je peux en savoir un peu plus ?

— Non. Ne t'inquiète pas.

— Je ne m'inquiète pas.

Les ouvriers cessèrent de passer par la rive. Elle vint de Paris à deux reprises. Elle fit livrer le lit et les meubles qu'elle avait achetés près de Sens. Elle n'appréciait pas le goût de Georges. Elle préférait s'occuper de tout. L'entrepreneur se plia volontiers à ce nouveau petit défi qu'elle lui proposait (l'hiver était si étrange et tiède ; tout serait sec aussitôt ; au moins c'était près de l'eau ; elle le payait de la main à la main). Elle fit de la pièce qui donnait sur le jardin une cuisine (un petit réfrigérateur surmonté d'une plaque électrique, une table de jardin ronde et blanche et deux fauteuils de jardin).

Dans la pièce donnant sur l'Yonne un salon tout en blanc.

En haut une chambre à coucher vide sinon ascétique.

Un petit lit à couette blanche couvert d'oreillers blancs entre deux murs d'angle couverts de haut en bas de rayonnages blancs pour y entreposer les partitions ou les livres.

Des toilettes minuscules à droite de l'escalier.

CHAPITRE IX

Il faisait encore nuit noire. Elle venait d'arriver à la gare. Sur le quai le vent soufflait en tourbillonnant. Elle se réfugia sous l'auvent. Sous l'auvent les ampoules électriques allumées et nues se mirent à se balancer dangereusement. Elle releva le col de sa veste de cuir. Elle quitta l'auvent. Elle marcha de long en large sur le quai jusqu'à ce que le train arrive. Une fois montée dans le train, alors qu'elle avait trouvé à s'asseoir et qu'elle espérait sommeiller dans la chaleur retrouvée, un jeune Maghrébin à la tête rasée, en vêtements de joggeur, lui tendit tout à coup sa boîte de galettes au chocolat.

Il insista.

Elle en prit une.

— J'ai envie de parler, lui dit-il.

— Et si moi je n'avais pas envie d'entendre ? lui répondit-elle.

— J'ai envie de parler, dit-il en haussant la voix.

Il était menaçant — ou plutôt très nerveux.

— Tant pis pour moi mais j'accepte d'écouter à la condition que je puisse fermer les yeux.

— D'accord.

Elle posa doucement son crâne sur l'appui-tête et se rencoigna.

— Allez-y, lui dit-elle. J'écoute.

— À Paris je vais aller trouver...

C'était une sombre histoire de punition. Elle ouvrit les yeux peu à peu. Elle comprit quelque chose.

*

Dans la matinée du jeudi 29, arrivée trop tôt par le train de Sens, elle dut attendre patiemment que Thomas fût parti pour rentrer chez elle. Elle profita de sa vagabonderie dans les premières heures du jour pour acheter au Franprix de grands rouleaux de sacs-poubelle noirs.

De retour chez elle, le garage de Bagnolet l'appela. Ils reprirent sa voiture. Ils lui prêtèrent une Renault Espace toute blanche. Elle éprouva un peu d'embarras à conduire cette grosse et haute voiture et à la garer dans sa rue.

Elle appela le Secours catholique et obtint un rendez-vous pour l'après-midi du lundi 2.

Elle commença par le haut. Elle commença par faire lcs poches de toutes les vestes, imperméables, blousons, manteaux pour ne rien y laisser de personnel. Elle visitait les pièces une à une, ouvrait les tiroirs, les penderies, vidait tout par terre. Cela prit deux heures de temps. Elle alla déjeuner. Après avoir déjeuné elle dut ouvrir les nouveaux sacs-poubelle qu'elle avait acquis le matin.

Elle y introduisit avec précaution tout ce qu'elle pouvait donner.

Il n'y avait pas grand-chose qui appartînt à Thomas : un manteau d'hiver, une casquette bleue de marin, des écharpes en laine, une veste en peau, des chemises et des sous-vêtements, deux blousons, deux costumes. Elle les laissa dans le dressing, dans la commode, dans le placard de la chambre à coucher où il dormait désormais seul.

Pour ce qui la concernait, elle avait tout d'abord imaginé qu'elle ne garderait rien. Mais elle plaça dans un sac cinq photographies rescapées du tiroir du bureau à cylindre, deux chemisiers de soie qu'elle aimait, un pantalon de lin gris, un vieux jean noir usé, une paire de baskets noires. Elle descendit une valise où elle mit des draps et des couvertures pour le petit lit spartiate de la maison-hutte à la barque noire de Loire. Elle prit des oreillers, des coussins récents, un couvre-lit en coton blanc. Deux casseroles, deux poêles, six assiettes, six verres, six couverts, une vieille cafetière italienne. Elle n'eut pas de mal à enfourner ces sacs dans l'Espace blanche. Il ne fut même pas nécessaire d'ouvrir le hayon. Elle gagna le périphérique, se rendit à Teilly par l'autoroute A5. Georges comme promis n'avait pas encore regagné l'Yonne. Toutes les premières peintures étaient faites déjà. Trois ouvriers se partageaient les ultimes finitions à l'intérieur et les secondes couches à l'extérieur. Elle appela Georges Roehl : lui-même était en train de vider la maison de Madame Roehlinger à Choisy. Il attendait

anxieusement pour remplir sa première camionnette de brocante.

*

Thomas ne comprenait plus bien ce qu'il vivait. Il
était inquiet. Il appelait fréquemment Ann, laissant
de longs messages sur le répondeur. Ann ne l'aidait
pas, ne répondait pas, refusait de dîner avec lui. Un
jour il surgit en plein après-midi. Elle était au piano.
Il lui prit les mains.
— On va tout mettre à plat. Si moi j'ai fait...
Mais Ann s'était levée.
— Je ne veux pas parler de ça.
— Mais si. Il faut.
— Non.
— Alors on peut trouver un autre moyen. Je
peux te trouver l'adresse d'un psychanalyste pour
t'aider à parler. Je sais que ta mère ne va pas bien.
J'ai assimilé cette donnée. On va prendre du temps.
Il y a aussi des psychothérapies de couple. Nous
sommes épuisés de fatigue. Il faudrait que nous par-
tions en vacances. Très vite. On peut...
— Thomas, je pense que tu ne comprends pas
que c'est fini.
Son visage se contracta. Elle répéta néanmoins
clairement :
— Je ne veux plus te voir.
Il ne la regarda pas. Il ne lui répondit pas. Il ne
voulait pas avoir entendu les mots qu'elle avait
pourtant déjà prononcés. Ses mains étaient fié-

84

vreuses. Il cherchait quelque chose à dire dans l'espace. Il errait dans le salon.

— De toute façon nous allons nous séparer la semaine prochaine puisque je vais à Londres. On en reparlera dès mon retour. On partira en week-end. On en parlera à tête reposée, calmement. On évoquera tout cela de façon rationnelle. C'est trop absurde...

Elle le laissa parler. Elle ne l'écoutait plus. La promesse de vente devait être signée le samedi 7. Elle estimait qu'il fallait compter au moins trois mois pour que la vente elle-même se fît. Elle se rendit à Auxerre avec Georges le samedi et réserva devant lui, à l'agence de voyages, une place sur un vol à destination de Marrakech. Georges fit le chèque et le signa. Elle dit à Georges qu'elle conserverait son portable jusqu'à Marrakech — où elle achèterait dans le souk un portable à cartes « débloqué » dont elle ferait masquer le numéro. De Marrakech elle se rendrait dans le désert, gagnerait l'Atlas. Peu importait le safari, peu importait la caravane archéologique, peu importait le groupe auquel elle pourrait être astreinte pourvu qu'elle fût inatteignable dans les oasis les plus lointaines de l'Afrique du Nord. Personne n'avait à le savoir. Cela serait un autre temps. Ce temps serait vécu par une autre femme. Il se situerait dans un autre monde. Il ouvrirait une autre vie.

*

Elle prenait désormais sans timidité la Renault Espace. Le simple fait de rouler sur l'autoroute A5 lui libérait l'esprit, l'accoutumait à la décision qu'elle avait prise, l'aidait à s'y retrouver dans les petites ruses et les mensonges qu'elle multipliait pour quelque temps encore le long de son chemin. Georges était si heureux de la rapidité avec laquelle les travaux progressaient et de n'en éprouver ni les désagréments ni la surveillance.

Un après-midi, alors qu'elle sortait d'un restaurant qui se trouvait à Chagny, Thomas la joignit sur son portable :

— Le téléphone de la maison ne marche plus ?

— Ah bon.

— On n'entend plus rien. Il n'y a plus de ligne.

— Ne t'inquiète pas, Thomas. J'appellerai demain matin France Télécom.

Elle faisait l'étonnée. Elle venait de faire couper le téléphone.

CHAPITRE X

Elle fut de retour à Paris le 30. Ils dînèrent à la cuisine, rapidement, sans un mot. Le 31 janvier Thomas partit à Londres pour la semaine. Quand, très tôt, dans l'obscurité, elle entendit la porte se refermer, elle écouta la maison toute silencieuse. Elle resta dans son petit lit du deuxième étage un long moment. Elle visita en esprit toutes les journées et toutes les soirées qui venaient. C'était la semaine qui lui coûterait le plus de peine et qui exigerait d'elle le plus de robustesse. Elle commença par éprouver à l'avance tout l'effort de la semaine qui était devant elle.

Puis elle se leva. Elle descendit au premier étage. D'abord elle prit des nouveaux draps, changea les draps du grand lit. Elle descendit à la cuisine se faire un café. Elle remonta dans la chambre avec sa tasse de café.

Dans la salle de bains, sur la tablette de verre, elle vit les produits pour le rasage, le blaireau, le peigne ; elle les prit ; elle les mit tous dans la poubelle.

« Place nette », se dit-elle.

Elle se recoucha dans son *vrai lit*, prit la tasse de

café sur la table de chevet et commença par se plon-
ger dans la lecture du livre qu'elle avait commencé
la veille.

Elle retrouva avec plaisir sa chambre, la fenêtre
qui, chaque printemps, s'enfouissait dans le feuillage
épais de l'orme.

*

Adossée contre les oreillers tout propres elle
regardait le ciel au-dessus des branches dénudées de
l'orme.

Elle contemplait ces morceaux de ciel si lumineux
et blancs entre les branches.

Elle n'avait pas envie de se lever. Elle n'avait pas
le courage de préparer les quelques affaires ultimes
qu'elle désirait encore emporter. C'était le premier
week-end où elle ne comptait pas se rendre dans
l'Yonne. Elle resta allongée jusqu'à ce que la nuit
tombât.

L'angoisse revint avec l'obscurité.

Et l'envie de fuir revint comme son compagnon.

Elle était devenue comme le double de l'angoisse
qu'elle éprouvait chaque jour au moment où la
lumière du soleil s'effondre dans la nuit.

Toute la nuit, debout, en chemise de nuit de
coton, elle rangea, sépara les vêtements, remplit les
derniers sacs, remplit toutes les valises disponibles.
Elle revint à son lit pour s'écrouler de fatigue et
s'endormir d'un coup. Il était cinq heures du matin.
Tout était prêt.

*

Elle appela Georges :

— Je suis électrifiée. Comme une boule d'orage.

*

Le deuxième jour elle alluma un grand feu d'automne dans le jardin. Elle remonta au haut de sa maison et prit tout ce qui était trop personnel, désossa les cadres, jeta tout ce qu'elle aurait détesté retrouver mis en vente dans des foires à la brocante ou à la porte Saint-Ouen.

Elle ressentit du plaisir à voir disparaître tous les papiers personnels, factures, vieux chéquiers, quittances, avis d'imposition. Cela prit un temps considérable. Cela dura un jour. Un vieil homme accompagnant la dame du Secours catholique passa vingt fois devant le feu. Il transportait les sacs de vêtements qu'elle avait préparés et les valises qu'elle avait refermées. Il les chargeait dans sa camionnette.

Elle se dit soudain : « Je n'ai plus de foyer. »

Le foyer (le lieu où nos défauts sont pardonnés, où nos faiblesses sont accueillies) était en train de brûler au milieu du jardin.

Dans l'après-midi vide elle eut soudain le désir d'aller au Louvre pour le plaisir d'errer dans beaucoup de beauté.

Elle se rendit rue Rachel, acheta une jacinthe

blanche, entra dans le cimetière de Montmartre, prit le chemin Billaud, suivit l'allée de la Croix sur la gauche, s'arrêta devant la tombe de son petit frère, posa la jacinthe sur la pierre.

Par tradition familiale (sa mère faisait ainsi, son grand-père maternel faisait ainsi, son père avait dû se soumettre lui aussi à cette règle particulière, elle avait aussi vu sa grand-mère faire de même dans l'appartement de Rennes), on faisait ses adieux au piano. Chaque famille a ses rituels très vite inintelligibles. On posait les valises l'une à côté de l'autre dans l'entrée, on mettait sur elles le manteau ou l'imperméable et — sur l'imperméable — le chapeau, on se mettait au piano et on jouait une pièce pour dire au revoir. On n'embrassait pas. On s'enfuyait alors sans un mot alors que l'espace résonnait encore de musique. Elle se dit qu'il lui fallait désormais jouer partout l'adieu sans le savoir.

*

Un coup de sonnette, la musique s'arrête brusquement.

Son cœur bat à rompre.

Elle prend appui sur le bois du piano, se lève de son tabouret, elle se dirige dans l'entrée lentement, ouvre la porte, traverse le jardin, regarde au travers des panneaux de fer de la grille.

C'est l'agent immobilier.

Une autre proposition avait été faite, qui lui

paraissait plus intéressante (quoique la proposition des Bruxellois tînt toujours).

Une jeune femme enceinte arriva presque aussitôt, un nourrisson dans les bras.

— Vous auriez pu me prévenir.

— Je croyais que mon assistante l'avait fait.

— Non.

— Cela vous dérange vraiment?

— Un peu. Tout est en désordre.

— On ne regardera pas.

— Tout est sale.

Ils insistèrent.

La femme demanda quand la vente pourrait avoir lieu. Elle n'était pas pressée. Elle était enceinte d'un nouvel enfant. Ils avaient tout le temps qu'ils voulaient devant eux. L'été serait consacré aux travaux. L'automne aux peintures. Pendant qu'elle visitait les différentes pièces, la femme enceinte répétait mot pour mot à son époux, sur son appareil portable, tout ce que l'agent immobilier disait et commentait tout ce qu'elle voyait. Pour finir, en découvrant dans quel état ils se trouvaient, la jeune mère souhaitait conserver les lits, la literie, la cuisine, la table de la cuisine, la gazinière, le réfrigérateur, la machine à laver la vaisselle, l'office, la table à repasser, la machine à laver le linge.

— Mon Dieu! lui répondit Ann Hidden quand elle formula son désir, c'est trop tard.

— Pourquoi?

— Le déménageur vient demain.

Finalement Ann Hidden préféra en rester au

premier acquéreur, au prix inférieur qu'il offrait, à la rapidité de la vente qu'il imposait.

La mère de famille partit, furieuse.

*

Ann eut un bon augure en se levant le matin suivant : un pic dans le jardin d'à côté, qui vint justifier sa préférence à l'égard de Bruxelles. Ann Hidden vivait entourée de présages. Dans la plupart des cas ils étaient de bonheur. Elle sentait quand une joie se promettait à la journée qui allait suivre. Ou elle avait le pressentiment qu'une splendeur n'allait pas manquer de surgir quelque part parmi les lieux où elle allait se rendre. Alors, comme elle était déjà heureuse, elle s'entremettait durant toutes les heures qui suivaient pour les faire survenir.

Le plus souvent ces joies surgissaient.

Si — d'aventure — rien n'arrivait, le crépuscule approchant, elle se précipitait à la piscine. De toute manière la fatigue ou la faim faisaient naître d'autres extases qui confirmaient ces singuliers pronostics.

CHAPITRE XI

Elle regarda partir les déménageurs. Ils finissaient leur travail; ils balayaient; elle avait distribué les pourboires; ils rangeaient leurs diables, les cartons restants, leur boîte à outils; ils enfilaient leurs blousons. Elle se trouvait devant la fenêtre de la cuisine; elle s'assit sur le bord de l'évier. Faute de verre, elle but au goulot un peu de vin de Chablis. Elle ouvrit une boîte de cacahuètes qui restait.

Puis ferma les yeux, mangeota.

Ne restaient plus que les trois pianos dans toute la maison.

Les déménageurs crièrent dans le jardin au revoir.

Ils refermèrent la grille.

Dans son bureau elle observa les deux pianos droits, pris dans les murs couverts de traces.

Elle erra dans les pièces le dos brusquement trempé de sueur. Ce n'était pas seulement un homme qu'elle quittait mais sa passion. C'était une façon de vivre sa passion qu'elle quittait.

Le capharnaüm puis le vide puis la saleté

qu'avaient introduits les déménageurs se trans-
formèrent en chaos au fond de son corps.

Toute sa vie reflua d'un coup — dans les murs
souillés ou vieillis, devant les grands instruments
couverts de laque noire.

Dix-sept années puis quarante-sept années cher-
chèrent à revenir sur elle pour l'engloutir.

Elle s'assit devant le grand piano à queue Steingraeber du salon. Elle ne joua pas. Elle se releva
presque aussitôt et alla dans ce qu'elle appelait son
bureau s'asseoir devant le petit piano d'étude. C'était
un petit piano droit sans aucune qualité, et même
très sec. Bien pis que celui de Georges à Teilly. Elle
joua. Elle improvisa sur un vieil air sanskrit qu'elle
avait édité parmi d'autres chants autrefois chez
Roland. Cela avait toujours été le seul recours.

Puis elle se dit que tout cela était peut-être indif-
férent. On trouvait partout des pianos.

*

Elle mangea un yaourt aux ananas qui restait. À
l'emplacement du réfrigérateur un pamplemousse
aussi traînait. Elle but encore un peu de vin blanc
de Chablis, appela Georges qui était à Choisy, prit
l'Espace blanche pour s'y rendre. Elle dormit dans
le lit de la mère de Georges. Le pavillon d'Évelyne
Roehlinger était loin d'être aussi débarrassé de ses
meubles qu'il avait voulu lui faire croire. Georges
devait se rendre à Paris le lendemain. Ils se cou-
chèrent aussitôt après avoir dîné. À huit heures du

matin ils partirent pour Paris. Elle lui offrit d'entrer voir son désert, sa poussière.

— Non.

Il voulut attendre un taxi au feu, à l'angle du rond-point et de la rue. Il s'entêta. Il faisait non avec la tête. Il lui expliquait qu'il n'était pas question qu'il entrât dans cette ancienne maison. Cette maison appartenait à son « autre vie ». Il préférait *mille fois* constituer une partie de son secret à elle plutôt que d'être témoin de ce qui avait pu constituer sa vie avec Thomas.

— Cela ne m'intéresse pas, disait-il.

Il lui fit au revoir avec la main comme lorsqu'il était un enfant.

Ann gara l'Espace devant la grille.

Se retrouvant seule elle lava, elle se rendit à la poste. Elle acheta deux colipostes. Elle passa en rentrant chez le serrurier qui faisait l'angle de la rue de la poste et de sa propre rue. Il n'était pas là.

Elle demanda à son épouse quand il pourrait passer.

— Il ne va pas tarder, lui dit-elle.

De retour chez elle, examinant les papiers de Thomas (fisc, banque, livret militaire, carte d'électeur) elle fut stupéfaite de découvrir combien il gardait peu de chose. Un grand coliposte suffit.

À dix heures le serrurier sonna à sa porte comme son épouse le lui avait promis. Il changea la serrure de la grille et celle de la porte de la maison.

— Tenez, madame, voici les vieilles serrures et les vieilles clés. Elles ne sont pas du tout abîmées.

— Alors gardez-les.

Il les fit tomber dans sa sacoche.

— Vous partez ?

— Oui, je m'en vais.

— La maison est vendue ?

— Oui.

— Alors pourquoi avoir changé les serrures ?

— On m'a volé un jeu de clés hier.

— Vous allez où ?

— Je retourne chez ma mère, en Bretagne.

— Vous avez bien raison.

Elle le remercia de sa compréhension.

Elle attendit dans la maison presque vide.

À quatorze heures les compteurs de gaz et d'électricité furent fermés. Le préposé lui dit que les sommes trop perçues seraient reportées sur son compte.

— De toute façon je suis en prélèvement automatique. Pardonnez-moi de ne pas pouvoir vous offrir un café. Je n'ai plus de cafetière.

— De toute façon, madame, vous n'avez plus non plus d'électricité.

Alors ils rirent.

— Bonne chance, madame, lui dit-il assez inexplicablement en lui tendant la main.

Cette main tendue sans raison lui fit un bien infini. Elle alla remplir le deuxième coliposte avec les vêtements que Thomas avait laissés. Mais c'était trop volumineux. Elle y renonça. Elle jeta le carton froissé et vide, les blousons, les costumes, les chemises dans une des poubelles municipales qui restaient perpétuellement dans la rue.

Elle rédigea l'adresse du bureau de Thomas sur l'unique coliposte qu'elle avait confectionné antérieurement. Elle ne glissa aucune lettre dans le paquet.

*

Puis les trois pianos partirent. Elle ne parvint pas à s'adresser aux déménageurs. Sa respiration lui faisait mal. Elle resta assise dans la tiédeur de l'air, sur les marches, à contempler l'orme nu, le jardin vide, les rosiers maigrelets, après qu'ils eurent regagné leur immense camion.

Quand elle eut fini de nettoyer une ultime fois le sol elle prit l'Espace que lui avait prêtée le garage. Elle arriva à Choisy. Elle prit un bain, fit tourner une ultime machine.

*

Ils allèrent dîner un peu plus loin sur la Marne. Quand ils arrivèrent, il était trop tôt. Le patron du restaurant leur dit de revenir vers huit heures et demie.

— Vous voulez boire quelque chose en attendant ?

Georges se tourna vers Ann :

— Veux-tu prendre un apéritif ?

— Je n'ai pas envie de boire. Il fait un temps si curieux, lui dit-elle.

— Étouffant.

— Étouffant et mou. Je trouve qu'on respire mal.

— C'est la pollution, dit le restaurateur.

— Je préférerais qu'on reste dehors, dit Ann.

— On va marcher en attendant le long de la Marne, dit Georges au patron du restaurant.

Ils le quittèrent.

Ils regardaient la rivière dégoûtante à leurs pieds.

La vallée de la Marne — comme Paris — était affreusement malodorante.

Une odeur terrible d'humanité, d'industrie, de gazole, de tabac, de parfum, de sueur, de savon âcre infestait l'air.

— Cet hiver si chaud m'angoisse, Georges, dit Ann tout à coup.

Il regarda sa montre.

— Viens.

Ils marchèrent très vite. Elle tenait son bras. Ils arrivèrent sur une grande place aux murs nus. Il poussa la porte d'une église étroite.

Au moins l'intérieur de l'église était glacé.

La nef sentait l'encens mêlé de mousse, un parfum de moisissure, de forêt, de champignon.

Ils s'assirent avec plaisir sur des chaises de paille mais, peu de temps après, un prêtre (un homme en survêtement de sport) vint les trouver et leur demanda de sortir car il devait fermer l'église.

— Église, vous y allez fort, murmura Georges.

— C'est une petite église mais c'est une église.

— Mon père, combien de temps les églises restent-elles ouvertes de nos jours ?

— Le temps des offices.

— Après, Dieu n'est plus là ?

— Après, monsieur, Dieu reste seul, répondit le prêtre sportif.

Il ferma les yeux. Il tint ses paupières baissées. Il dit sur un ton dédaigneux à Georges :

— Dieu est toujours là mais seul.

*

Ils quittèrent le prêtre, l'église, la moisissure, la solitude, Dieu, la place, la Marne. Ils dînèrent.

Tout à coup Georges fut saisi d'une espèce de crainte.

— Et si Thomas n'était pas parti à Londres ? Et si elle et lui venaient dîner ici ce soir dans ce restaurant ?

Ann rit.

— Ce serait drôle mais cela n'entraverait en rien ce que j'ai minutieusement préparé.

Pourtant Georges restait inquiet. Dès que la porte s'ouvrait il tendait son visage.

— Ne t'inquiète pas, lui disait-elle. Il est à Londres.

— Il n'est peut-être pas à Londres.

*

— Georges, merci, lui dit-elle.

Ils avaient fini de dîner. Ils longeaient de nouveau la Marne. Ils avaient bu. Ils se tenaient par la main.

Il y avait deux saules. Il y avait une suite de périssoires brunes puis une succession de kayaks monoplaces de toutes les couleurs qui étaient enchaînés les uns aux autres. Il l'étreignit soudain. Il l'embrassa nerveusement. Elle le repoussa.

Elle lui dit :

— Promets-moi que tu ne recommenceras jamais cette stupidité.

Il hochait la tête.

— C'est une erreur, dit-il.

Georges était bouleversé par ce qu'il avait fait.

— Tu reviendras quand même ?

— Oui.

— Alors nous resterons dans notre *enfance*, dit Georges en gémissant.

— C'est ça. C'est ça.

— Et la cantine !

Il rit. Il lui reprit la main.

— Rentrons à l'école, lui dit-il. On se met en rang dans la cour. Sœur Marguerite claque ses mains. On entre dans la salle au poêle.

Main dans la main ils quittèrent la tonnelle. Ils remontèrent à pied l'avenue. Georges se plaignait.

— Quand je pense que tu as tout vendu et que moi, je n'ai pas encore rangé entièrement la maison de maman !

— Il faut dire que tu n'y as pas consacré un temps fou.

— Ann, toi qui es une spécialiste, tu ne voudrais pas t'en charger ?

— Non.

— Tu n'es pas sympathique.

— C'est peu de le dire. Je suis ravie d'aller trouver le soleil, le ciel bleu.

— J'aurais aimé découvrir l'Atlas, dit Georges.

— Ne te lève pas demain matin. Je vais partir très tôt.

— Ton petit déjeuner ?

— Je le prendrai dans un café quand je serai arrivée à Paris.

— Fais-moi signe dès que tu arrives dans le désert. Appelle-moi dès que tu gravis les pentes. Aux premières oasis.

— Aux premières oasis.

— Appelle-moi dès que cela t'est possible.

— Promis, lui dit-elle.

— Donne-moi ton nouveau numéro de téléphone dès que ce sera possible.

— Promis, lui dit-elle.

— En début de semaine.

— Promis, promis, répéta-t-elle.

*

À six heures du matin elle s'enfuit. Elle ne réveilla pas Georges Roehl. Elle monta dans l'Espace blanche. Arrivée à Paris, elle désira arroser le jardin pour la dernière fois. Elle fit le tour avec son pauvre tuyau jaune. Il n'y avait rien à arroser. Deux roses d'hiver. Elle les prit toutes les deux. Elle les mit dans son sac. Elle prit le coliposte. Elle ferma la porte de la maison et la grille du jardin avec les clés neuves. Elle remit la voiture qu'on lui avait prêtée au garage de Bagnolet. La promesse de vente devait avoir lieu à quinze heures dans le VIIIe arrondissement. Elle avait un peu faim. Elle alla acheter le journal. Elle alla prendre un café. Elle mangea une salade. Elle se dit : « Je vais boire à ma propre santé » et elle s'offrit un verre de côte-de-nuits. À quinze heures elle passa par le bureau de poste du quartier, attendit. Parvenue au guichet elle fit enregistrer le coliposte, l'adressant au bureau de Thomas. Elle appela l'agence immobilière dans le VIIIe arrondissement. Oui, ils avaient signé. Elle raccrocha. Elle quitta le bureau de poste. Elle prit un taxi pour la gare du Nord.

CHAPITRE XII

Elle attendit à un guichet. Avec de l'argent liquide elle acheta un billet pour Anvers. Munie de son billet Ann Hidden se rendit ensuite à l'étage supérieur, dans la gare où les voyageurs attendaient pour Londres. Elle s'assit sur un banc et détruisit longuement, en la pliant et en la repliant, sa carte bleue. Elle jeta deux morceaux sur trois dans une poubelle devant l'Eurostar.

Elle redescendit. Elle monta dans le Thalys. Quand le train fut parti elle alla aux toilettes. Elle jeta le morceau restant de sa carte par la lunette. Elle appela Georges sur son portable.

— Tout va bien, lui dit-elle. Je suis à Roissy. On embarque pour le Maroc.

— Je t'embrasse.

Elle se mit à dépecer son téléphone portable. Elle s'amusa à lancer lentement les petits morceaux, les uns après les autres, par le trou des toilettes sur la voie. Elle descendit à Bruxelles. Elle reprit aussitôt un train en direction de Liège. Elle songea à Thomas, à la tête qu'il allait faire quand il rentrerait à

Paris. Elle vit sa détresse. Elle espéra sa souffrance. Elle l'imagina pour l'instant à Londres, traversant un quai sur la Tamise. Elle s'amusa — à plusieurs reprises, méticuleuses reprises — de l'impression qu'il allait ressentir le lendemain quand il chercherait à faire tourner une clé dans une serrure qu'elle ne saurait plus ouvrir. Quand il lui faudrait se rendre à l'évidence et comprendre que tout de sa vie avec Ann Hidden — à part quelques papiers qu'il trouverait une heure plus tard à son bureau — avait disparu, était introuvable, volatilisé dans l'espace, englouti dans un vide bien plus vide, bien plus vertigineux que le ciel, le ciel astral, bien plus abstrait.

Elle descendit à Tienen. Sa valise en cuir à la main elle traversa la place vide. Elle se dirigea vers le grand magasin à l'angle de la place. Elle acheta un sac en toile gris qu'elle pouvait mettre à son épaule. Elle s'acheta une jupe noire, une veste en faux cuir, un costume de bain marron. Elle se changea entièrement dans la cabine d'essayage. Elle prit un taxi. Elle monta dans la chambre d'hôtel. Elle dormit. Le lendemain elle rassembla dans l'ancien sac ses vieilles affaires, mit les neuves dans le sac en toile grise, sortit, jeta le sac en cuir dans une grande poubelle en métal. Elle prit le car pour Maastricht. Elle traversa la frontière à Lanaken. Elle mangea à Düren. Ce fut le Mardi gras.

Elle suivit le Rhin dans un car rempli de touristes anglais. Ce furent les Cendres.

*

Elle attendit que tous les passagers eussent quitté le car. Elle descendit alors sans se presser. Elle alla dans un magasin de sport de Fribourg. Un fuseau, une veste polaire blanche, un chapeau, des gants de fourrure. Elle acquit un grand sac à dos rouge où elle rangea tout. Elle payait tout en argent liquide. Elle éprouva que la zone euro présentait de merveilleux avantages.

Elle alla à la piscine, nagea longuement. Dans la cabine, à l'instant de se rhabiller, elle glissa dans le sac en toile gris ses anciennes affaires.

Elle jeta le tout dans les poubelles qui se trouvaient dans la cour derrière la piscine.

Les cheveux encore trempés, elle se rendit dans un salon de coiffure. Elle fit couper ses cheveux très court et les fit teindre en blond avec des mèches plus blanches.

En se regardant dans le miroir du coiffeur, elle se fit la remarque qu'en quittant tout il était possible qu'elle se fût privée d'elle-même.

Dans le miroir elle avait vraiment l'air égaré. Vieille. Elle s'était absurdement punie d'une faute qu'un autre avait commise. Elle n'avait plus rien. Plus personne ne pouvait la joindre ni la rejoindre.

Elle se dit que plus grand monde ne pourrait la reconnaître si elle-même s'inquiétait de qui elle pouvait bien être en examinant un nouveau reflet sur la glace remplie d'ampoules d'un coiffeur allemand.

Elle reprit un car. Elle franchit la frontière suisse

au-dessus de Tuttlingen. Quand elle vit le premier lac, elle était folle de bonheur.

*

À Bienne elle eut le courage d'appeler sa mère à partir de l'hôtel.

— Thomas ne cesse d'appeler.

— Ne décroche pas, maman.

— Je fais ce que je veux, ma fille. Où es-tu ?

— Je suis à Londres. Je vais le rejoindre. Ne t'inquiète pas, maman. Ce sont des histoires idiotes de couple. Ne t'inquiète pas, ma petite maman.

— Je suis inquiète, ma petite fille. Point à la ligne.

CHAPITRE XIII

Quelque chose de l'ancienne nature persiste dans l'Engadine. Les forêts sont les mêmes qu'avant la venue de l'homme en Europe. Les lacs sont les mêmes. L'air présente une pureté ou plutôt une transparence qui ne se trouve nulle part ailleurs dans le monde. Les premiers jours elle marchait toute la journée. Le temps était toujours aussi tiède. Elle errait dans les forêts sans qu'elle pensât à rien. À midi elle tirait un fauteuil transatlantique sur le balcon de sa chambre dans le soleil. Elle regardait les pêcheurs tenter leur barque sur le lac, rêver de pêche en y flottant.

Elle regardait le soleil projeter des ombres immenses.

Le soir, ses voisins de chambre — comme dans le monde ancien — ne parlaient pas mais murmuraient. Ils glissaient doucement sur les parquets cirés. Les nappes étaient empesées. Nul ne s'esclaffait en mangeant.

Au bout de deux jours elle décida de faire une cure thermale complète. Pendant une semaine elle ne fut plus que son corps. Elle s'effondra dans son corps. Elle éprouva son corps jusqu'aux limites de son corps — qui ne sont que vingt doigts, un nez, un peu de sexe qui se met à vivre quand on dort.

*

Les grands yeux sombres, les cils longs, le front lisse et nu, les lèvres très épaisses et très belles, les cheveux blancs et blonds très courts, la veste polaire blanche.

Il admire cette femme dans la neige.

Ils dînent ensemble.

*

Elle entendit des chats qui gémissaient. Ils criaient comme des enfants. Elle ouvrit les yeux. Elle alluma la lampe de chevet et regarda l'heure. Il était trois heures.

Loin d'eux, sur une terrasse, deux chats échangeaient leurs miaulis, leurs glapissements, criaient, s'aimaient.

Elle se retourna et regarda l'homme qui respirait près d'elle.

Elle toucha l'étrange râpe des cheveux courts dans la nuque.

Elle se glissa et se lova contre le grand corps chaud. Son odeur était bienfaisante.

Le creux de son cou était doux.

Où elle se rendormit.

Ceux qui ne sont pas dignes de nous ne nous sont pas fidèles.

Voilà ce qu'elle était en train de se dire dans le rêve qu'elle était en train de faire.

Leur engagement à nos côtés n'entraînait pas leur peur ou leur fainéantise, leur incurie, leur désœuvrement, leur régression, leur bêtise.

Nous observons assis dans nos fauteuils, étendus dans nos baignoires, couchés dans nos lits, des êtres engourdis ou absents pour lesquels nous n'avons plus d'existence.

Ce n'est pas eux que nous trahissons en les abandonnant.

Leur inertie ou leurs plaintes nous ont abandonnés avant que nous songions à nous séparer d'eux.

La nuit quitta le lac de Côme.

Elle traversa sa troisième frontière sans qu'elle connût de difficultés.

*

Si le destin est cet élan qui, provenu d'un autre lieu du monde que de soi, s'empare d'un être pour l'attirer à sa suite, sans qu'il en comprenne à aucun moment la nature, alors elle avait un destin. Elle en était consciente. Elle se dit : « Je ne sais pas où je vais mais j'y cours avec détermination. Quelque chose me manque où je sens que je vais aimer m'égarer. »

Elle ne fut contrôlée qu'une fois dans le chemin de randonnée qui la conduisait en Italie. Les deux douaniers n'ouvrirent même pas le passeport qu'elle leur tendit. Ils lui offrirent une fleur de brimbelle qui avait poussé par mégarde dans un rayon de soleil. Elle fut emplie d'un bonheur aussi soudain que violent quand, ôtant son gant, ses doigts la saisirent. Cette fleur minuscule était un signe miraculeux entre ses doigts.

Emmitouflée dans sa grande veste polaire blanche, elle continua son chemin jusqu'à Lecco.

Elle prit un car jusqu'à Monza, où elle rejoignit l'aéroport.

DEUXIÈME PARTIE

CHAPITRE PREMIER

La circulation était bloquée. À Naples, mars était visqueux et tiède. Tout le monde klaxonnait. Des draps — trempés — étaient censés sécher dans le vent. Ils remuaient bruyamment, sans finir, sur les balcons, sur les toits des immeubles, parmi les antennes des postes de télévision. Les nuages de pluie entassés au-dessus du Vésuve se concentraient, grossissaient.

L'avion avait atterri dans une bruine mêlée de fuel.

Puis le car glacé sur la piste de l'aéroport.

Puis le taxi humide.

Puis l'hôtel non chauffé.

À l'aube la baie de Naples resta enveloppée dans son brouillard.

Elle acheta un portable international près du palais Sanseverino, qu'elle fit aussitôt débloquer dans une ruelle par un jeune garçon aux cheveux roux. Elle lui acheta plusieurs cartes d'avance. Elle appela Véri à la pharmacie pour prendre des nouvelles de sa mère. Tout allait bien en

Bretagne, même si Thomas faisait le siège de Madame Hidelstein en venant à peu près tous les week-ends.

— Où es-tu ?

— En Irlande, répondit Ann à Véri.

Elle changea de nouveau ses vêtements. Elle éprouva de la joie à acheter un grand sac de cuir clair, des jupes italiennes de coton mêlé de soie, des chandails de laine, un jean gris, un grand ciré de marin tout jaune. Elle sacrifia ses vêtements de montagne. Jeta le sac à dos. Quand elle arriva à l'embarcadère il pleuvotait encore. Le chauffeur de taxi lui dit qu'il y en avait pour trois jours.

— Jusqu'à ce que la lune vienne à manquer.

Les lattes de bois de la passerelle étaient un peu pourries, molles, glissaient.

Sa vie ? La *mancanza*.

La passerelle remuait singulièrement sous ses souliers.

Elle s'assit.

Assise sur son banc de bois mouillé elle appela Georges Roehl. Comment se portaient l'Yonne et le Gumpendorf ? Tout allait bien en Bourgogne. Non, la maison de Choisy n'était pas encore vidée.

— Où es-tu maintenant ?

— Zagora est une ville merveilleuse, lui répondit-elle.

L'aliscaphe arrivait.

On a peur, parfois, en avançant sur l'eau, de l'y rejoindre, d'y tomber, d'y mourir.

Elle pénétra dans la cabine. Elle s'assit près d'une

114

fenêtre. Elle ressentit soudain une impression à laquelle elle était peu accoutumée. Ce n'était plus l'angoisse — ce qui lui faisait battre le cœur.

C'était la vieille détresse solitaire plus ancienne que tous les sentiments.

C'était — enfin — la peur souche.

Elle erra d'île en île, de paroi de falaise en paroi de falaise, sans que jamais elle retournât sur Naples.

Elle hésita entre deux hôtels délicieux, l'un à Ravello, l'autre sur la petite île d'Ischia.

Elle choisit le petit hôtel de l'île phlégréenne, devant le castello, à cause d'une chambre qui donnait immédiatement sur la mer.

La chambre avait une longue terrasse silencieuse, sans contact avec une autre chambre.

Ou ouvrait la fenêtre. D'abord on voyait la baie, l'île de Procida.

Puis on voyait le ciel sans fin qui touchait l'eau.

*

Une nuit où elle ne dormait pas, debout, nue, elle avait fait ses mouvements de gymnastique (elle répétait irrésistiblement ces longues séquences de mouvements chaque fois que l'insomnie la prenait). Fatiguée, poussant du front le rideau de la fenêtre, faisant peser tout son corps sur son front et tout son front contre la vitre, elle observait la baie dans la nuit, la baie merveilleuse, avec si peu de lumières, si antique.

Elle éprouva une joie sourde.

Puis une excitation frémit en elle, monta, balayant tout en elle, qui alla jusqu'à irradier, qui enfin serra sa gorge.

Son corps se mit à fourmiller d'insomnie, d'éveil.

Elle enfila le peignoir blanc de l'hôtel. Elle fit glisser la porte-fenêtre, elle avança sur la terrasse qui donnait sur la mer.

Elle se cala, toute frissonnante, contre le bord du fauteuil en fonte.

Il était entre deux heures du matin et trois heures.

Une ligne de lumière soudain se mit à luire à l'autre bout de la baie. Le soleil se levait sur Sorrente. Le début du jour fut sublime. Elle marcha tout le reste de la matinée dans les chemins de l'île.

À midi elle téléphona à Georges :

— Tout est sublime. Je suis maintenant à Ischia près de Naples.

— Je te croyais à Zagora. Je t'imaginais au volant d'un quatre-quatre dans le Tassili.

— Il existe aussi des avions.

— Ischia, je ne connais pas.

— Georges, je suis devenue heureuse.

— Mon Dieu ! ne dis pas que tu es heureuse !

— Si. Je suis heureuse.

— Je n'ai jamais pu supporter les gens qui se prétendent heureux.

— Pourquoi ?

— Ils mentent. Cela me fait peur.

— Que tu aies peur, je m'en fiche. Je ne mens pas. Je suis heureuse. Je suis heureuse dans mon île.

116

— Parce que Ischia est une île ?

— Oui.

Elle lui expliqua où elle se trouvait, quel était ce lieu. Quel animal indépendant et surprenant était ce lieu. Ce qu'elle découvrait en lui du printemps qui commençait ici. Il l'écouta sans comprendre. Georges Roehl l'interrompit :

— Tu sais, j'ai quelqu'un pour la maison de maman à Choisy.

— Je croise les doigts pour toi, Georges.

— Tu es gentille. C'est un tel souci pour moi. C'est quelqu'un de bien. Quelqu'un qui ne fera pas honte au souvenir de ma mère qui se déplace encore dans ces murs.

— Tu es fou.

— Tu es bien folle au point de te dire heureuse.

— C'est vrai.

— Visiblement je ne te manque pas.

— C'est vrai aussi mais viens dès que tu peux. Dès que tu auras vendu, viens te reposer ici. Tu verras. C'est merveilleux. Ici, je me suis repérée aussitôt partout. Je me suis aussitôt retrouvée dans les sentiers, dans les ruelles, dans les escaliers si raides menant aux places minuscules, dans les trois petits volcans, dans les forêts, dans les escarpements, dans les nuages. Je me suis reconnue partout. Les gens sont délicieux. Pas un seul Français. Il n'y a que des Napolitains ou des Russes.

— Tu ne te sens pas trop seule parmi les Russes ?

— Je me sens parfois très seule et je commence à aimer énormément cela.

— Je ne sais plus moi-même si j'aime énormément cela, murmura Georges.

— Aucun signe de nulle part ?

— Aucun signe de nulle part. Sinon que ta hutte-Gumpendorf t'attend. Elle piaffe. Elle s'abîme. Elle menace de tomber dans l'eau qui passe, sur la barque noire, dans le grand églantier.

— Je t'embrasse, Georges.

— Je t'attends, Éliane. Tu me manques.

Ce fut midi. Elle referma son portable.

Elle commença à avancer sa fourchette dans sa petite assiette de poulpes sur le port.

Le bruit d'entrechoc si étrange des bateaux devant elle lui fit lever les yeux. Deux coques rouges à la queue leu leu. Une coque bleue. Deux coques rouges, une coque bleue. C'était étrange. C'était un signe étrange. Le vent se levait. Le vin de l'île aussi était délicieux.

*

Ann Hidden disait :

— Il y a une lueur diffuse dans les eaux de la mer qui semble monter du fond de l'abîme. Qui n'affleure jamais mais qui joue sous les corps, sous les algues, dans les ombres des roches d'Ischia. Cette lueur est peut-être d'origine volcanique. Une lumière qui ne semble vraiment pas procéder du soleil touche les corps qui nagent ici.

Quand c'était l'heure de son bain, elle allait se changer dans sa chambre, enfilait la robe de chambre en coton blanc de l'hôtel sur son costume de bain, glissait ses pieds dans les petites sandales en plastique blanc crème de l'hôtel.

Elle passait par les roches, juste sous sa propre terrasse.

Il n'y avait pas de sentier.

Ses petites sandales en matière plastique glissaient sur les aiguilles tombées des pins.

Elle déposait la robe de chambre de l'hôtel sur une rambarde de fer dressée là qui ne servait à rien puis plongeait dans la mer.

*

Seule, elle dormit de moins en moins. Aussi lisait-elle la nuit. Elle avait demandé à l'hôtel qu'on fît sa chambre en premier. Sitôt après l'arrivée des femmes qui s'occupaient du service, la chambre était faite. Elle quittait l'hôtel dès les premières lueurs de l'aube, entre cinq heures et six heures. Elle vagabondait en jean gris et en baskets jaunes dans le calme et la fraîcheur, dans les ombres si longues de la fin de la nuit ou du début de l'aube, sortait de la petite ville balnéaire, empruntait les sentiers, flânait dans l'herbe, mouillait ses pieds dans la rosée, dans les vignes, dans les champs d'oliviers, dans les bosquets, cherchait à se perdre, aimait se perdre, parvenait à se perdre. Elle était curieuse de tout ce que pouvaient dissimuler un muret ou une palissade. Elle n'avait aucun regret de sa maison de Paris ni, il est vrai, de sa petite domiciliation tout improviste

119

dans les lierres, sur l'Yonne, chez Georges Roehl. Ne serait-ce que sa capuche de ciré jaune, ne serait-ce qu'un angle de mur, ne serait-ce qu'un bout de roche, n'importe quel angle d'invisibilité suffisait à sa joie. Il suffisait de compléter son corps d'une arête où être sans regard. D'une chambre sans vis-à-vis où se blottir. D'une petite terrasse ou d'un bout de balcon où replier son corps et y épier le jour. Elle trottait dans la lumière naissante. Elle était curieuse des mœurs des gens dans l'aube, des premiers gestes où le ton de la journée se décide, le plafonnier de la cuisine qui s'allume, le chien auquel on ouvre la porte pour qu'il rentre, les gens qui se vêtaient, qui se passaient un coup de peigne, qui reculaient soudain devant leur miroir pour s'y surprendre. Quand le soleil était là, quand les ruelles et les rues se remplissaient de vie et de hâte, d'odeur de tabac, d'odeur de café au lait, d'odeur d'eau de Cologne, elle arrêtait un microtaxi qui la ramenait à l'hôtel en pétaradant et en klaxonnant. Elle prenait un petit déjeuner pantagruélique dans la salle à manger, sous les grandes arcades blanches couvertes de vigne vierge encore bourgeonnante, qui dépliait par endroits seulement les feuilles encore coagulées de sève. Elle se reposait devant la piscine toujours plus ou moins fumante de l'eau tiède du volcan. Devant elle, deux ou trois heures avant les Russes, les Allemands plongeaient déjà en éclaboussant tout. Elle attendait que la piscine fût vide d'Allemagne pour y nager longuement à son tour. Ruisselante elle montait à sa chambre, prenait une douche, se glissait dans son lit, travaillait.

C'est là qu'elle composa le minuscule quatuor dédié à Katherine Philips.

Elle acquit à Naples un ordinateur qu'elle fit installer dans sa chambre et sur lequel elle commandait les partitions et les livres qu'elle souhaitait examiner.

CHAPITRE II

« O Oh how I ! » chantonna-t-elle pendant plusieurs semaines.

Katherine Philips est une des plus grandes poétesses anglaises du xviie siècle. Elle avait écrit une élégie intitulée *O solitude !* sur quoi Purcell avait composé un chant qui errait sans fin.

Ces vers étaient venus correspondre à sa vie.

Son visage avait maigri. Son corps aussi avait maigri. Il ne restait plus que les os, la tristesse, une étrange élégance toute neuve.

Ses cheveux avaient repoussé et de nouveau elle commençait à pouvoir les relever en un petit chignon.

Sa peau était devenue toute tirée et plus brune. L'eau de la mer, les soins de l'Engadine l'avaient lissée.

Les robes sur elle étaient belles, un peu lâches pour son corps, tombaient merveilleusement.

À force de nager elle était plus élancée. Elle nageait seule. Elle marchait seule. Elle mangeait seule. Elle lisait dans son coin.

O solitude

my sweetest sweetest choice

devoted to thc Night.

Le chant de Purcell n'abandonnait jamais ce refrain qui fonctionnait comme une marche.

Elle avait toujours marché de façon déterminée, toute droite, lançant les cuisses et les genoux, impulsivement.

O Oh how I

solitude adore!

Katherine Philips avait noté dans son poème :

Une voix solitaire se lève sans adresse au fond de l'âme,

aussi immatérielle qu'un rayon de soleil,

extase au sein de la nature,

Nativité du Temps.

*

Des chaussures de plus en plus crottées,

sales,

boueuses,

pleines d'herbes,

tant elle marchait partout dans l'île. Elle marchait inépuisablement. Elle sillonnait, elle recreusait tous les chemins, elle dévalait toutes les pentes du volcan chaque jour.

*

Tout ce qu'elle avait composé aurait tenu dans un petit recueil. Elle jouait très peu. Tout ce qu'elle avait pu écrire avait été enregistré. Elle n'appréciait jamais les créateurs. Ni les interprètes. Ni les critiques. Ni les musicologues. Elle ne compliquait jamais sa vie de leurs rencontres. Elle ne lisait jamais les biographies, ni les correspondances, ni les avis de décès. Elle n'aimait que les œuvres et, dans les œuvres, des morceaux. L'ensemble de ce qu'elle vénérait au sein de la musique qui avait été écrite ou transcrite aurait tenu dans un unique petit volume. Un livre qui aurait pu s'appeler *Nativity of Time* pour peu que l'éditeur eût accepté de reprendre les mots de Katherine Philips. L'essentiel se transporte si aisément.

*

Un jour, un présage la poussa à Milan. Les anticipations mystérieuses ne modifiaient peut-être pas le cours des jours mais elles débusquaient des occasions. Elles suscitaient des hardiesses soudaines.

Elle entra dans le vieil immeuble viennois. Elle appuya sur le vieux bouton en ivoire pour appeler l'ascenseur.

Descendit le vieil ascenseur vitré, fragile, en bois de Pernambouc.

Elle se glissa entre les deux portes très étroites, tintinnabulantes.

Elle sortit de la cage de verre sonore et tremblotante.

Elle s'immobilisa avec inquiétude devant la grande porte noire de l'appartement de Milan.

Sa gorge était aussi serrée que jadis.

Presque étranglée.

Elle est vêtue d'une jupe verte (vert pâle), d'un pull-over à col roulé noir.

Elle est au piano.

Le maestro se tient derrière elle.

Elle lui explique en vain la pièce qu'elle vient de composer.

Il ne la comprend pas. Il ne comprend pas ce qu'elle joue. Il ne comprend pas ce qu'elle lui dit. Elle s'enfuit quand la main du maître se pose sur son épaule.

*

Car la vie entre les femmes et les hommes est un orage perpétuel.

L'air entre leurs visages est plus intense — plus hostile, plus fulgurant — qu'entre les arbres ou les pierres.

Parfois, de rares fois, de belles fois, la foudre tombe vraiment, tue vraiment. C'est l'amour.

Tel homme, telle femme.

Ils tombaient en arrière. Ils tombaient sur le dos.

CHAPITRE III

Un matin elle vit la pancarte Vendesi sur le balcon d'une grande villa jaune. Ann Hidden entra dans la propriété.

Elle suit la pierre poreuse et rose de l'immense piscine.

Face à elle les deux cyprès très sombres se détachent sur le ciel. Les beaux volets sont gris sur les murs jaunes. Elle examine le jardin.

Elle prit conscience que la vie d'hôtel commençait à lui peser. Les horaires religieux de cette vie, le chuchotement du personnel, les rythmes toujours contraignants, presque entraînants, les odeurs. Surtout les odeurs. Odeurs si impérieuses des repas, des soins, de la boue, du soufre, du tabac, des chariotages de savons et des linges dans les couloirs. Mais elle détesta cette propriété splendide, au confort universel, admirablement faite pour les touristes qui ne désiraient qu'être nulle part, dans l'absence de douleur, à la limite de la mort qu'ils appelaient vacance.

*

Tout à coup l'averse s'abat.

Elle court.

Elle sort en hâte de la villa qui est à vendre.

Les murs s'assombrissent. Les caniveaux ruissellent sur la pente du volcan. Toute la colline coule sous ses pieds. Cent petits torrents foncent vers la mer.

Les places qu'elle traverse sont vides.

Les carrefours sont déserts.

Les perrons des églises se couvrent de femmes en noir qui cherchent à protéger leurs corps sous le porche ou dans la pénombre.

Les toits de voitures sous la force de l'eau résonnent.

— Quelle pluie! dit-elle en ôtant son imperméable, après qu'elle a poussé la porte tournante de l'hôtel.

— Si. Véridiquement! Épouvantable!

Elle quitte la salle de bains et revient dans sa chambre la tête enfouie dans une serviette de toilette avec laquelle elle sèche ses cheveux. Elle a ôté son pull.

— J'ai froid, dit-elle tout haut.

La chambre d'hôtel est glacée. Elle voudrait qu'il y eût du feu. Elle pense : « Il me faut une cheminée. J'ai besoin d'une cheminée. J'ai besoin d'un toit. J'ai besoin de donner des soins à quelque chose de plus concret qu'un chant. J'ai besoin d'un jardin où préparer tout ce printemps. J'ai besoin d'une maison. »

Quand elle pense ces mots elle a déjà ôté sa jupe et ses collants.

Elle se glisse dans le lit.

La couverture tirée jusqu'au menton, le capuchon d'un stylo-bille dans la bouche, elle lit.

*

Elle lisait : L'empereur Auguste, qui n'aimait pas les êtres humains, tomba amoureux d'un lieu.

Il échangea l'île d'Ischia contre Capri quand il en découvrit la force dans la brume.

Kaproi, l'île aux sangliers, appartenait jusque-là à la municipalité grecque de Naples.

Plus tard l'empereur Tibère en fit sa résidence sauvage aux douze palais zodiacaux (comme les Valois élurent la Loire).

Ann Hidden reposa le guide touristique sur le sable.

L'air sentait les toutes premières roses.

Il faisait doux.

Elle s'était baignée. Elle s'était allongée sur la plage de l'hôtel en contrebas de la piscine. Elle lisait un livre qu'elle avait emprunté à la bibliothèque de l'hôtel et qui racontait l'histoire de l'île dont elle s'était éprise.

Le sable était d'un gris plus pâle que le ciel de l'aube.

Elle se tourna vers la colline bleue et, dans la colline bleue, elle eut l'impression de voir un toit bleu.

*

C'était le vendredi saint. C'était le 25 mars.

À Georges :

— J'ai vu le sentier dans les eucalyptus. Je n'ai pas vu la maison. Quand on est sur la plage, le pin parasol à l'aplomb de la plage la masque. Et de la route de la corniche on ne voit qu'une petite partie du toit bleu.

— Moi, je suis allé relever ta boîte postale, lui dit-il. Tu as reçu ta feuille d'impôts.

— On va tout faire par Internet. Cela sera plus commode. Merci, Georges. Je m'en occupe directement.

Et elle lui parla de la villa qu'elle avait découverte quelques heures plus tôt dans les fourrés.

Elle s'y rendit de nouveau.

C'était finalement assez loin de la plage. Il fallait monter par un petit sentier très ardu, dense, opaque, avant de se retrouver face à face avec la façade en pierres noires volcaniques. La maison était en effet surmontée d'un toit de pierres volcaniques si luisantes qu'elles paraissaient bleues.

Elle la vit plus de vingt fois avant de songer qu'elle l'habiterait un jour.

Elle l'aima avant de penser qu'on pût aimer d'amour un lieu dans l'espace.

La maison sur la falaise à vrai dire était presque une maison invisible. Soit qu'on fût sur la plage, ou attablé dans la gargote où elle mangeait une salade à midi, ou encore de la route, on ne pouvait pas voir beaucoup plus que la seconde moitié du toit bleu, à mi-côté, à partir du flanc qui donnait sur la mer.

La terrasse comme la maison avaient été creusées pour la plus grande part dans la roche elle-même.

Elle n'était pas à vendre.

Elle était inhabitée.

*

Abritée dans la roche, la villa dominait entièrement la mer.

À partir de la terrasse la vue était infinie.

Au premier plan, à gauche, Capri, la pointe de Sorrente. Puis c'était l'eau à perte de vue. Dès qu'elle regardait elle ne pouvait plus bouger. Ce n'était pas un paysage mais quelqu'un. Non pas un homme, ni un dieu bien sûr, mais un être.

Un regard singulier.

Quelqu'un. Un visage précis et indicible.

Elle enquêta pour découvrir les propriétaires de cette maison longue, étroite, déserte, qui surmontait la mer au sud-est — ou au moins en connaître l'histoire.

Les agences immobilières ne savaient rien.

Elle obtint le nom de la propriétaire par le curé de la petite église de la pointe. Il s'agissait d'une paysanne dont la ferme était située de l'autre côté de l'île, Cava Scura, près de San Angelo. Elle s'y rendit en bus.

— Je ne sais rien. Mon grand-père est mort en 1870.

— Ah! s'exclama Ann.

— Signora, pourquoi éprouveriez-vous de la

douleur en apprenant le décès de mon grand-père en 1870 ?

— Signorina, précisa Ann.

— Vous êtes française, signorina ?

— Oui.

— Cela s'entend. Comprenez-moi, signorina, mon grand-père, c'est le mien. Il ne s'agit pas de *votre* aïeul.

— Oui.

— Donc vous n'avez pas à le pleurer.

— Oui.

— De plus, 1870 en Italie, ce n'est pas 1870 en France.

— Oui.

Elles se turent.

Ann Hidden reprit :

— Mais 1920 en Italie ce n'était pas 1920 en France.

— Mais Ischia, signorina, ce n'est pas l'Italie *du tout*. Je vais vous dire : personne n'arrivait à faire pousser quelque chose dans le jardin. Mon grand-père avait construit cette petite maison pour sa sœur, ma grand-tante Amalia. Mais ma grand-tante Amalia est morte. Mon grand-père est mort. Mon père est mort. C'est le dernier qui y ait vécu. Il y a vécu ses années de veuvage et il est mort.

— Je vous demande pardon...

— Encore une fois, signorina, je n'ai pas à vous pardonner la mort des miens. Maintenant je souhaiterais que vous me laissiez travailler.

La paysanne ne désirait pas la faire entrer chez elle.

CHAPITRE IV

Un jour, étant revenue, la vieille paysanne, excédée, s'était emportée contre cette jeune touriste venue d'Ischia Porto qui l'importunait alors qu'elle était à son travail. Elle lui intima fermement de la laisser en paix. Même, pour se faire bien comprendre, elle se mit à crier sur elle. Alors Ann, haussant elle-même la voix, avait saisi vivement les deux mains de la paysanne de San Angelo et s'était emportée à son tour. Criant absurdement :

— Vous ressemblez à ma mère ! Vous criez contre moi comme maman !

Alors la vieille agricultrice s'était effondrée en sanglots.

Les deux femmes s'étaient mises à pleurer en se tenant par la main.

Puis elles étaient entrées à l'intérieur de la ferme et elles avaient bu un verre de vin cuit en y trempant des biscuits au sucre et en racontant leurs vies respectives, malheureuses, les hommes égoïstes, libidineux, autoritaires, peureux, misérables. Elles évoquaient les bonheurs qui vieillissaient comme les corps.

*

Ann Hidden alla la chercher en taxi deux jours
plus tard. La voiture les laissa en bas. Elles montèrent vers la maison masquée par le pin parasol. La
pente était très raide jusqu'à l'avancée de la roche.
Elle n'était pas vertigineuse mais elle tournait. La
vieille femme grimpait comme elle pouvait devant
elle et s'essoufflait. Elle s'agrippait à une vieille
corde grasse qu'Ann n'avait pas remarquée jusque-là et qui était fixée à même le volcan, parmi
les ronciers et les roses sauvages.

Désignant un vieux mur en ruine qu'on pouvait
voir dans la haie la vieille paysanne dit :

— Jadis il y avait une tour de guet ici à la fois
contre les Sarrasins et contre les Français.

— Oui.

— Elle est devenue une étable pour les ânes.
Vous connaissez le général Murat ?

— Oui.

— Vous savez qu'il nous a colonisés ?

— Oui.

— Cela ne vous fait rien ?

— Non.

— Pourquoi me répondez-vous comme cela ?

— Parce que je ne suis pas général et que je ne
me propose pas de finir mes jours maréchal.

La vieille femme se retourna, lui tapa sur la tête
avec la main en riant et reprit son ascension.

Il fallait être devant la maison, si longue, de

133

plain-pied, sans étage, pour en comprendre la force singulière. La vieille fermière de Cava Scura elle-même ne put s'empêcher de faire silence et de la contempler en la redécouvrant. Les fourrés et la haie étaient d'un vert très foncé, presque noir, presque aussi noir que la roche. La terrasse était elle-même très longue — aussi longue que la paroi volcanique.

Ou on ne voyait que les arbres de la colline qui l'enveloppait, ou on ne voyait que la mer.

Partout la mer.

Ann aimait de plus en plus ce lieu, cette vue immense sur la mer. Elle ne parlait pas. Elle laissait faire la vieille femme dont elle tenait de nouveau la main, laquelle ne parlait pas davantage.

Une espèce de pluie lumineuse enveloppait la maison. C'était quelque chose d'immatériel, légèrement opaque, comme un brouillard de lumière, comme la substance élevée et granulée de l'air.

— Pourquoi n'habitez-vous pas ici?

— Les jambes pour le corps, les souvenirs pour le cœur.

Telle fut l'énigme que lui proposa son amie la paysanne de Cava Scura puis elle ajouta:

— L'été vous ne pouvez pas savoir combien la lumière est violente. Et la chaleur! Comment vous dire? Comment vous appelez-vous, signorina?

— Ann.

— Moi je m'appelle Amalia.

— Comme votre grand-mère.

— Comme ma *grand-tante* et non pas ma grand-mère. Zia Amalia était la sœur de mon grand-père. Mon grand-père l'aimait beaucoup. Appelez-moi Amalia. Je vous appellerai Anna.

— Amalia, répéta Ann.

— Eh bien, Anna, je ne vous dis pas ce que la chaleur, ici, peut devenir ! Quelle bête effrayante cela peut être !

Aucune des clés qu'elle avait apportées dans son sac ne parvint à entrer dans la serrure de la porte.

La fermière s'assit sur des claies et des piquets amassés dans le coin de la porte, fort mécontente d'être montée pour rien.

Devant elle, la terrasse sur toute la longueur couverte de chaises, de tables, de vieilles caisses de citronniers morts, de jarres vides.

Derrière elle le mur du fond était noir. C'était la lave nue du volcan. Les murs externes étaient faits de tuf jaune. Les fenêtres poussiéreuses qui se suivaient donnaient sur la mer immense et bleue de la baie.

On entrevoyait deux grandes cheminées crayeuses derrière les carreaux sales.

Le silence s'avançait sur la terrasse, se glissait entre les tables et les chaises de fonte rouillées disposées un peu partout.

Ann vint s'accroupir auprès d'Amalia, le dos contre la porte.

Elles se reposèrent.

*

Amalia dit :

— Il faut que je demande à mon frère Filosseno où peut se trouver la clé.

— Attention à vos pieds, s'écria Ann Hidden.

— Filosseno saura.

Ann soutenait Amalia qui avait autant de mal à redescendre le sentier à pic qu'elle avait peiné à le gravir.

— Je crois que mon père vous aurait aimée, lui dit soudain Amalia toujours agrippée à son bras.

Alors Ann lui chuchota :

— Vous ne pouvez pas deviner combien ce que vous dites est agréable à entendre...

— Pourquoi est-ce si agréable ?

— Mon père ne m'a pas aimée.

— Votre père est mort ?

— Non. Il est parti. J'étais toute petite.

Quand elles furent arrivées sur la route, la vieille femme paysanne lui dit :

— Vous vous rendez bien compte que je ne viendrai pas souvent vous embêter chez vous, Anna !

— Alors vous acceptez ! s'écria Ann Hidden.

Elle avait enlacé la vieille paysanne. Elle était au comble du bonheur.

*

La location fut lente à être décidée. Non pas à cause de la somme d'argent, assez faible, qu'elles fixèrent très vite entre elles. Pendant un an

136

« Anna » ne verserait quasi rien parce qu'elle prendrait à sa charge tous les travaux nécessaires. Mais il fallut obtenir l'accord des autres membres de la famille d'Amalia avant d'engager les travaux eux-mêmes.

Ann n'avait pas la clé de la maison mais elle continuait de monter sans cesse le sentier abrupt.

Elle était amoureuse — c'est-à-dire obsédée.

De ce jour elle ne songea même plus à ce que Georges appelait la hutte le long de l'Yonne à Teilly. Ni à la maison de Paris qu'elle avait mise en vente. Ni à la demeure de sa mère en Bretagne.

Elle aimait de façon passionnée, obsédée, la maison de zia Amalia, la terrasse, la baie, la mer. Elle avait envie de disparaître dans ce qu'elle aimait. Il y a dans tout amour quelque chose qui fascine. Quelque chose de beaucoup plus ancien que ce qui peut être désigné par les mots que nous avons appris longtemps après que nous sommes nés. Mais ce n'était plus un homme qu'elle aimait ainsi. C'était une maison qui l'appelait à la rejoindre. C'était une paroi de montagne où elle cherchait à s'accrocher. C'était un recoin d'herbes, de lumière, de lave, de feu interne, où elle désirait vivre. Quelque chose, aussi intense qu'immédiat, l'accueillait à chaque fois qu'elle arrivait sur le surplomb de lave. C'était comme un être indéfinissable, euphorisant, dont on ne sait par quel biais on se voit reconnue par lui, rassurée, comprise, entendue, appréciée, soutenue, aimée.

*

Elle trouva en contrebas une grotte et deux criques où nager sans être vue de quiconque. C'était une côte difficile. Les criques y étaient minuscules. Sans cesse les roches volcaniques les surplombaient et en rendaient l'accès malaisé.

On escalade, on regarde s'il n'y a personne sur le sable noirâtre en contrebas. Parfois un anneau en fer pour accrocher un bateau. Parfois quelques marches d'escalier en ciment permettent de descendre dans la mer Tyrrhénienne sans qu'il soit besoin de sauter.

Ses cheveux redeviennent longs. Ses épaules demeurent étroites malgré les natations de l'aube et du soir. Elle nage désormais chaque jour dans ces criques. Elle dépose ses vêtements dans la petite étable.

CHAPITRE V

Un jour, quand elle arriva, elle trouva assis, dans le plus complet silence, la paysanne et un vieil homme. C'était le soir. Ils étaient sur la terrasse dans la brume de la lumière. Ils étaient installés dans les fauteuils en fer devant la table rouillée. Ils ne conversaient pas entre eux. Ils tournaient le dos à la vue fabuleuse. Ils avaient l'air endormi. À vrai dire ils tournaient le dos au soleil et la regardaient déboucher de la pente et venir vers eux.

— Ah! Voilà ma fille! dit Amalia. Je ne me lève pas. Je suis épuisée. Anna, je te présente mon frère Filosseno qui voulait à tout prix venir faire son pèlerinage avant de te laisser aménager la maisonnette.

Le vieux Filosseno se leva. Il désirait montrer quelque chose à Anna. Il l'entraîna en bordure de la terrasse. Derrière une roche jaunâtre une espèce de terrasse à pic était creusée.

— C'est moi qui l'ai creusée pour mon père, lui dit-il avec fierté. Regardez, signorina!

Ann Hidden saisit la main vigoureuse qu'il lui tendait; elle dut descendre; elle dut se mettre à plat ventre puisque le vieil homme aux cheveux blancs le lui ordonnait.

Du haut de la terrasse artificielle, dissimulée par l'aplomb, en se penchant, on pouvait voir le castello, l'hôtel, le port de plaisance.

Les voiliers qui bougeaient à peine.

L'eau étincelante et toute blanche.

Ils admirèrent. Ils se remirent debout. Le vieil homme et Anna remontèrent sur la terrasse elle-même. Chacun époussetait l'autre. Ils revinrent lentement vers Amalia.

Il lui donna solennellement les clés de la maison.

Il désira lui serrer la main pour sceller leur accord.

Elle lui serra la main.

Alors, dans le silence, celle qu'ils appelaient « Anna » sentit qu'il lui fallait parler et elle fit un long discours pour les remercier.

Les yeux baissés, restée assise, Amalia écoutait attentivement. Quand Ann eut fini, elle se leva et elle alla l'embrasser sur le front, bruyamment.

Puis ils s'approchèrent tous les trois de la porte. Ann voulut redonner la clé au vieux Filosseno qui lui fit un signe impératif. Ce fut elle qui glissa la clé dans la porte.

La clé tourna sans difficulté mais il fallut que le vieil homme lance violemment son épaule dans le bois de la vaste porte pour qu'elle s'ouvrît soudain.

Tous les trois entrèrent.

La maison était sèche. Elle sentait un mélange de chat, de jasmin, de poussière.

Ni Ann ni le vieil homme ne parvinrent à ouvrir les fenêtres, sauf une.

L'air s'y engouffra et souleva une énorme quantité de poussière où ils se mirent à suffoquer. Ils se retrouvèrent tous les trois à tousser sans pouvoir reprendre souffle, pliés en deux.

Amalia ressortit en pleurant.

Ann finit de parcourir les deux longues pièces dans de violentes quintes de toux qui résonnaient étrangement dans les salles presque vides. (Il restait une table et ses huit chaises, un grand Zeus enlevant Europe en plâtre, des fauteuils défoncés; elle fit tout retirer par la suite; elle ne garda que les miroirs à dorures sur les cheminées, dont elle fit blanchir l'or.)

— Le père de mon père était notaire à Ponte, expliquait Filosseno, et son frère cadet était le curé de Serrara.

À chaque pas la poussière se levait — et aussi des papillons de nuit.

Quand ils furent ressortis, quand la toux rauque le quitta, le vieil homme dit :

— Anna, il faut que je vous montre encore une chose. Il y a une source chaude au-dehors.

C'était une source naturelle dans la roche bouchée par un gros morceau de tissu. Filosseno tira sur le bouchon de toile. Un peu d'eau brûlante s'égoutta dans une vasque rongée par l'eau chaude, sulfureuse, du volcan.

*

Le soleil se couchait.

La maison commençait à rougir.

Ils restaient debout

Ils n'avaient plus rien à dire. Alors ils voulurent rentrer chez eux.

Ann les raccompagna jusqu'à la camionnette du frère d'Amalia. Le vieux Filosseno refusa de reprendre les clés.

*

Après qu'ils furent partis, Ann Hidden remonta. Quand elle déboucha du sentier, arrivant sur la terrasse, devant la première fenêtre toute rouge, un grand buisson de groseilles rouges semblait brûler dans le soleil du soir.

Le souvenir de son petit frère jadis sur son lit à Paris l'étreignit.

Elle dut s'asseoir dans un des vieux fauteuils en fonte rouillée de la terrasse.

Elle éprouva sur toutes les parties de son corps dans le silence presque incompréhensible (sans doute dû au retrait de la terrasse et des deux cavités des longues salles dans la paroi du volcan) l'extra-ordinaire étreinte que le lieu entretenait avec la nature. On ne voyait pas d'autres maisons. On ne voyait que la mer, le ciel, et maintenant la nuit qui enveloppait tout.

CHAPITRE VI

Elle conserva sa chambre à l'hôtel mais son corps vivait dans la villa sur la colline. Elle lava tout avec l'eau de la source d'eau chaude. Il arriva qu'elle y couche — ou du moins qu'elle s'y étende et s'y endorme parce qu'à la moindre insomnie elle y était montée.

Dans la fin de la nuit elle saluait les bergers qui étaient déjà là à tournoyer sur la colline avec leurs bêtes.

En une minute le soleil crevait la surface de la mer et tout était éclaboussé de lumière. Le lieu était peu à peu gagné par la profondeur. La distance provenait d'abord des sons qui naissaient partout. Tout apparaissait aux premiers instants dans une espèce de substance crémeuse mêlée peu à peu de violet et de noir.

Puis de vert autour des arbres et sur les flancs de la colline.

Alors les ombres surgissaient autour des formes. Elles mettaient en relief les maisons et les animaux.

En attendant qu'elle pût habiter la longue villa

sur la mer, Ann jeta, bêcha, fit livrer des fleurs, fit porter des sacs de terreaux, des jarres, des petits arbres, des citronniers.

*

Pour le lieu lui-même, attendant qu'il fût électrifié et repeint, elle n'acheta pas grand-chose : une immense bergère au coussin de velours jaune pâle (il fallut la désosser et la hisser avec des cordes). Un fauteuil en cuir.

Le reste (les bibliothèques, la cuisine, les étagères, les placards), elle fit presque tout faire par le menuisier qui amena les planches sur place avec un âne.

Il fallut deux ânes pour monter le ciment, les châssis, les chambranles, les rayonnages, les rouleaux de fil électrique, les pioches, les truelles, les pelles, les beaux tuyaux de cuivre pour dériver l'eau d'une citerne située une dizaine de mètres plus haut et afin de canaliser la source d'eau chaude.

À mi-pente, dans l'étable où elle mettait jusque-là ses vêtements quand elle se changeait pour aller se baigner dans les criques, ils entassèrent les sacs et les pots de peinture à l'intérieur d'un vieux bahut moitié de bois moitié de terre.

*

Il pleuvait. Pour arriver à la maison, dès qu'il pleuvait, ou même dès qu'il y avait de la brume, la pente était non seulement raide mais boueuse. Le marchand de piano qui l'accompagnait faisait non avec la tête. Il disait que jamais il ne pourrait hisser un piano droit, même de très mauvaise qualité, même en matière plastique, jusqu'à la villa de zia Amalia.

Elle se rendit à Naples. Elle ne trouva rien qui valût la peine. Pourtant le son ne lui importait pas au premier chef. Elle chercha sur son ordinateur quel pouvait être le clavier offert à la vente par lequel elle perdît le moins possible l'articulation et le toucher.

Si elle avait renoncé depuis une quinzaine d'années aux concerts, elle voulait rester capable d'interpréter les pièces qu'elle composait pour le piano. Elle souhaitait toujours les enregistrer elle-même — du moins pour la première version, afin d'en donner le tempo et le caractère, en sorte que les interprétations qui suivaient eussent au moins l'idée de ce qu'elle désirait. Dans les concerts elle pouvait être extraordinaire — et c'est par eux d'ailleurs qu'elle avait connu le succès à ses débuts — mais elle pouvait aussi être froide, engoncée, inerte, mauvaise, exécrable. C'est pourquoi elle s'était éclipsée sur la pointe des pieds des années plus tôt des circuits de concert comme des festivals. Elle détestait enseigner. Elle détestait jouer devant des caméras de télévision ou même dans la pénombre d'un studio à la radio. Elle s'était mise à avoir peur d'elle-même. Elle n'était jamais sûre de qui elle allait être, de comment elle allait réagir à telle ou telle interruption, à telle ou telle sensation.

Elle n'était même pas sûre d'avoir assez d'angoisse pour rester suffisamment concentrée durant deux heures de rang et être capable de jouer avec toute la violence qu'elle souhaitait voir resurgir dans l'art.

Finalement elle acquit un clavier numérique extrêmement complexe qu'elle fit venir de Milan, extraordinairement léger (le livreur le monta lui-même dans la villa sur la mer — dans le *palazzo a mare*, avait-il dit) et qu'elle détesta aussitôt.

*

Tous les amants ont peur. Elle avait terriblement peur de ne pas convenir à la maison. Elle eut peur de ne pas savoir s'y prendre en lançant les travaux. Peur d'en altérer la force. Peur de rompre un équilibre. Peur aussi d'être déçue. Peur de ne pas être aussi heureuse qu'elle pensait qu'elle allait l'être quand elle avait découvert la villa pour la première fois.

Le printemps balaya la peur.

Ce furent les grands jasmins sauvages.

Ce furent les buissons de roses.

Ce furent les anémones sans nombre, aux couleurs si profondes, aux beautés de soie.

Ce furent les pavots.

Elle avait aimé nager dans la mer froide qui lui rappelait la Bretagne.

Elle aima s'épuiser dans une mer devenue plus chaude et plus ombrageuse avec le printemps. La fatigue lui procurait une espèce d'euphorie, d'extase physique difficile à décrire. La mer verte ou bleue glissait sur ses épaules, glissait sur sa nuque, glissait entre ses jambes, l'enveloppait de courant et de puissance. Elle ne nageait que le crawl et ne songeait à rebrousser chemin que quand la fatigue la prenait. Elle se mettait alors sur le dos, rêvait, puis rentrait lentement, en restant sur le dos, ou en se tournant légèrement pour ne pas être surprise par une roche, à l'indienne.

CHAPITRE VII

Une vieille femme s'est arrêtée dans l'abribus.
Elle est immobile.
Elle a posé son sac à provisions sur le siège en plastique blanc.
Ceux que la mort approche, leurs muscles soudain fondent. Leur regard s'évade.
La vieille femme tient un bouquet de fleurs dans une main et son sac à main dans l'autre main. Le sac à main est lui-même curieusement glissé dans un vieux filet à provisions en mailles noires.
— Maman ! murmure-t-elle.
— Éliane, c'est toi !
Madame Hidelstein montre d'un coup de menton les fleurs.
— C'est pour toi que je les ai achetées.
— Merci, maman.
C'est le mois de mai.
Ann Hidden est de retour.
— Aide-moi, ma fille.
Elles marchent toutes deux tête baissée, luttant contre le vent breton.

L'une tient son sac à main et ses fleurs. L'autre sa valise et le sac à provisions avec le pain qui dépasse.

*

Ann pose le sac à provisions de sa mère sur l'évier. Elle remplit d'eau un vase en étain. Elle heurte son médaillon qui s'ouvre sur le rebord en aluminium.

Elle glisse son médaillon dans la poche de son gilet.

Elle s'empresse auprès de sa mère qui a mal au bras et n'arrive pas à ôter son manteau devant la porte de la cuisine.

Sa mère a maigri. Sortant des manches courtes de son corsage, ce sont des bras longs et minces, la peau flottante autour des os comme des branches nues.

— Pourquoi es-tu maintenant seule ? lui a dit de but en blanc sa mère. Je ne te comprends pas.

— Le principal, maman, est que je me comprenne moi-même.

Mais sa mère a toujours le dernier mot. Elle transporte en tremblotant une soupière pleine d'eau froide où elle a mis à reposer les lentilles. Elle dit :

— Personne ne se comprend, Éliane.

— Et toi tu n'es pas seule ? N'as-tu pas été seule pendant quarante ans ? dit Ann méchamment.

— Non, je ne vis pas seule. Je suis mariée. J'attends mon mari et de toute façon moi, ma petite, attendante ou pas, je ne prétends pas me comprendre moi-même.

149

À chaque retrouvaille il en allait de même. Au bout d'une heure à ses côtés, elle n'en pouvait plus.

La vente de la maison de Paris était fixée au 20 mai. Ann Hidden avait profité du voyage pour rester quelques jours auprès de sa mère. Georges Roehl n'avait pas voulu l'accompagner en Bretagne. Il était allé la chercher à l'aéroport. Il l'avait conduite à la gare Montparnasse. Ils avaient déjeuné ensemble à cent mètres de la gare, sur le boulevard, dans un restaurant de poissons. Il ne souhaitait à aucun prix revenir sur les lieux de son enfance.

— Ton amoureux a appelé.

— Ah !

— Il voulait ton adresse.

— Qu'est-ce que tu lui as dit ?

— La vérité. J'ai dit que je ne l'avais pas. C'est vrai. Tu ne me l'as pas donnée, lui fit remarquer sa mère.

— Maman, encore une fois, *je n'en ai pas*.

— À d'autres, ma fille. Mais comme tu voudras. Ton amoureux a dit aussi : « Je n'ai rien vu venir. » Il répétait : « Je n'ai rien vu venir, madame. Je vous promets, madame. » Au téléphone il pleurait. C'était une histoire très triste à écouter.

— Ça lui fera des yeux brillants.

— Mon Dieu !

— Avec des yeux brillants il examinera avec plus de soin le fond de sa vie.

— Tu n'es vraiment pas drôle, ma fille !

*

Sa mère fit une colère d'enfant.

C'était l'Ascension.

Marthe Hidelstein voulait coûte que coûte aller à la messe accompagnée de sa fille.

— Je n'ai plus la foi, maman.

— Tu ne peux pas faire cinq cents mètres avec moi et t'asseoir pendant trois quarts d'heure à mes côtés ?

— Bien sûr, maman.

— Alors viens !

— Mais c'est idiot, maman. Je te dis que je n'ai pas envie. Tout cela me pèse.

— Si tu crois que tout ne me pèse jamais !

— Mais, maman, l'illusion s'est éteinte. Je ne pratique plus.

— Tu pourrais te forcer.

— Non.

— Cela ne te ferait pas de mal de prier un peu.

Ann de guerre lasse céda.

Il fallut ensuite retrouver la canne à pommeau d'argent que son grand-père maternel lui avait offerte et qui s'était égarée dans la maison. Elles se rendirent toutes deux à l'église.

Tout le village les regarda passer à pas lents.

La vieille Madame Hidelstein titubait sous le parapluie qu'Ann tenait ouvert au-dessus de sa tête.

Une fois parvenues dans l'église, installées à leur banc, sa mère sortit de son sac à main non seulement son missel mais aussi celui de sa fille qu'elle n'avait pas manqué d'apporter comme si elle avait eu encore douze ans.

Sa mère le lui ouvrit à la page du jour — comme si elle avait eu encore douze ans.

À vrai dire ce fut une chance pour Ann Hidden.

Elle passa tout l'office le nez plongé dans son missel.

L'Ascension est la fête consacrée au départ.

Dieu dit : J'ai quitté mon père pour venir en ce monde et maintenant j'abandonne le monde.

Un homme crut entendre une voix qui disait : Lève-toi et va. Quitte ta maison et pars à la recherche du lieu que je te ferai voir.

Il partit.

Il alla présenter son visage à une autre terre qui n'était pas une terre.

*

— Hexomédine transcutanée, Nurofen, Lysanxia, Toco 500.

— Bonjour, Véri.

— Bonjour, Éliane.

Ann sortait de l'église. Véronique laissa la pharmacie à son assistant. Elles se rendirent dans un café sur le port où Madame Hidelstein les attendait.

— Thomas m'a appelée. Vos histoires m'embêtent.

— Ce n'est pas moi qui t'en parle.

— On s'est vus un peu. Je crois qu'il faut que tu le rappelles. Expliquez-vous entre vous au moins une bonne fois.

Ann Hidden ne répondit pas.

— Oublie cette aventure idiote de Choisy-le-Roi.

Ann ne répondit pas.

— Tu sais qu'il a rompu avec elle ?

— Cela ne m'intéresse pas. Qu'il fasse ce qu'il veut. Je ne demande rien.

— Arrêtez vos histoires.

— Non.

— Je suis ton amie.

— Non, tu n'es pas mon amie quand tu parles comme tu le fais. De toute façon, je ne sais pas pourquoi, j'ai le sentiment que tu mens.

*

C'était un jour où sa tête était perdue.

Sa mère ne bougeait pratiquement pas de la cuisine. Elle avait quatre-vingt-six ans. Elle se tenait recroquevillée dans son fauteuil dépliant, fait de tubes très légers, comme un lièvre qui tremble dans son buisson.

De même que certains animaux abusent leurs prédateurs ou leurs congénères ou leurs concurrents par leur forme de plantes ou leur immobilité, dissimulée dans ses oreillers et sous ses couvertures, elle cherchait à égarer la mort.

Marthe Hidelstein poursuivait un marmonnement inintelligible à toute autre personne qu'à elle.

— Même moi je me perds dans les dix pièces de la maison. Je ne sais plus où ceci ou cela est rangé. C'était un autre temps.

Elle criait tout à coup :

— Éliane ! Éliane, va voir si on n'a pas volé le lit de ton père ! Éliane, sais-tu où est le buffet de la mémé de Rennes ?

*

Elle souleva dans ses bras sa vieille mère. Elle était devenue toute petite et légère. Sa peau pendait sur ses os. Elle riait. Ses yeux étaient redevenus ceux d'un enfant.

Sa mère allait visiblement parler. Elle se mit à faire des gestes avec son visage, ses cheveux, ses mains.

Mais elle renonça.

Elle avait oublié ce qu'elle voulait dire.

Son corps était devenu plus court et beaucoup plus léger. Elle vivait désormais la plupart des heures dans son fauteuil. Sa tête sans cou lui faisait face, elle était toute tendue vers elle, avec ses grands yeux, inquiète.

De la main droite elle faisait tourner à toute allure son émeraude autour de son doigt.

Sa mère attendait quelque chose. Elle savait par cœur qui sa mère attendait. Ann ne pouvait répondre à cette attente. Elle ne pouvait pas répondre à ce regard dans les yeux de sa mère. Elle ne voulait même pas y songer. Elle n'y songe pas. Elle se lève.

— Maman, veux-tu qu'on fasse un puzzle ?

— Non merci, ma fille, je ne suis pas encore complètement retombée en enfance.

*

Il est six heures moins le quart du matin. Le soleil brille déjà dans le ciel. Elle veut dire au revoir à sa mère. « Il est trop tôt, se dit-elle. Elle doit dormir encore. » Elle ouvre doucement la porte du salon. Mais sa mère est déjà habillée, assise sur son lit. Elle n'est guère souriante. Elle ne tourne même pas son visage vers elle.

— Je m'en vais, lui dit Ann.

Sa mère hoche la tête.

La fille se penche pour l'embrasser.

La mère retire son visage.

— Je t'appelle, dit Ann sans l'embrasser.

Mais la mère hausse les épaules. Les larmes viennent au bord des yeux d'Ann. La mère dit :

— Éliane, tu vas rater ton train. Vas-y.

— Maman, tu veux que je t'apporte ton petit déjeuner ?

— Vas-y, je te dis, ma fille. Abandonne-moi.

CHAPITRE VIII

Elle arriva gare Montparnasse à la fin de la matinée. Elle s'engouffra dans le métro et se rendit dans l'ancienne maison vide, sonore, pleine à craquer de silence.

Elle la retrouva pleine à craquer de remords.

Et malodorante.

Et ensevelie sous une minuscule pellicule de poussière noire.

Trois mois étaient passés. Derrière la grille, dans le jardinet, le printemps était timide. Elle arrosa la terre entièrement sèche. Elle prit dans la boîte aux lettres le peu de courrier qui avait échappé à la boîte postale. Elle se rendit chez le notaire dans le VIIIe arrondissement. Elle signa sous son nom véritable, remit les clés, prit le chèque de banque qui lui revenait, salua son monde. Georges l'accueillit à la gare de Sens. Ils allèrent directement au restaurant du port de Teilly où ils dînèrent. Georges lui dit combien il la trouvait transformée. Elle avait maigri (mais lui, en deux mois, avait beaucoup plus maigri qu'elle). Elle avait bronzé. Ce soir-là elle portait un surtout de laine noire, une longue jupe en soie grise qui se mouvait doucement autour d'elle, des petites bottines grises.

Elle ne parlait plus aisément. (Bœuf, dés de bette-rave.)

Il y avait beaucoup plus de méfiance, d'éduca-tion, de peur, de retenue en elle. Elle avait été trop seule.

Elle était devenue peut-être trop italienne. C'est ce qu'il osa lui dire. (Lotte, crème de laitue.)

Elle ne lui répondit pas.

Ils revinrent à pied.

Elle remit le chèque de banque à Georges. Il décida qu'il fallait transformer la procuration en compte joint à l'agence d'Auxerre au cas où l'un d'entre eux périrait.

Elle se mit à rire.

— Anne-Éliane, nous avons le même âge.

— Bravo.

— Quand je serai vieux, tu seras vieille.

— Ce que tu dis a pour soi la vraisemblance.

— Vivons ensemble.

— Tu es fou.

— Il ne s'agit pas de venir dans mon lit.

— Je le suppose.

— Marions-nous.

— Non.

*

Georges à la vérité était malade. Elle le découvrit par indélicatesse, dans une lettre de l'hôpital posée

157

sur la grande écritoire de l'entrée. Elle chercha à en parler. Il nia. Elle le remercia en tout cas d'avoir conservé son secret à elle concernant l'Italie.

— Tu en avais douté ?

— Oui.

— Tu n'es pas une amie.

— Je me méfiais des hommes et tu étais un homme.

— J'étais un homme.

Et il se mit à pleurer.

Un soir, dans un restaurant qui se trouvait sur la route de Joigny, puisqu'il ne voulait pas qu'on parlât ni de sa santé ni de lui-même ni de la suite des temps, elle lui parla de l'île, de la villa sur la mer, de la terrasse extraordinaire, de la fermière de San Angelo qui s'appelait Amalia, de la beauté. Quand viendrait-il ? Elle avait fait monter un lit pour lui.

Georges Roehlinger lui promit de venir dans l'île le mois prochain.

*

— C'est le grand nettoyage de printemps ?

Monsieur Delaure acquiesça.

Tout était sorti sur le pas de porte et les pavés du quai de l'Yonne, balai, échelle, seau à serpillière, seau à éponge, Javel, lessive St Marc, Mr Propre.

Elle rangea le solex dans la petite courette de devant, une cartouche de Lucky à la main.

*

Il y avait assez de soleil pour prendre l'apéritif devant l'Yonne. Georges était heureux de se retrouver seul avec Ann au bout de la pelouse, devant la hutte-Gumpendorf, la barque noire, les tout nouveaux canetons qui se cachaient dans son ombre. Il y eut un événement curieux. Ils buvaient en silence dans la paix, ils ne parlaient pas quand un gros merle trotta soudain vers Georges et se percha d'un coup sur sa chaussure.

Le gros merle ne bougea pas.

Georges ne bougea pas.

Le gros merle poussa quatre cris et partit.

Ann fut subjuguée.

— C'est un signe, disait-elle, c'est un signe ! C'est un *bon* signe, Georges !

Elle repartit le vendredi soir.

CHAPITRE IX

L'île émergea du brouillard. Lourde, magique. Elle fuyait la mort. Elle fuyait sa mère. Elle fuyait Georges. Elle s'installa dans la maison quelque inconfortable qu'elle fût encore. Elle enfilait un ou deux pull-overs et allait petit-déjeuner sur la terrasse dans le gris qui précède l'aube. Elle contemplait le jour qui se levait derrière le petit pin noir, les premiers rayons, rayons parfois d'or pâle, rayons parfois blancs comme des mèches d'archer.

Puis les premiers bleus.

Puis le surgissement violent, rapide, inexorable de la lumière s'arrachant à la mer.

Elle commença par éprouver beaucoup de vide, de détresse, de désemploi au haut de la colline.

La vie d'hôtel étaye le corps dans la mesure où il faut laisser la chambre, bouger, sortir, revenir en hâte, s'habiller, descendre dîner, saluer, sourire. Mais elle recouvra progressivement le plaisir de lire ses partitions des heures durant et de s'y perdre, de les laisser se lever peu à peu comme des plantes ou des nuages ou des vagues. Elle réapprit à se retrouver sans homme, sans rien à préparer, sans avoir à se laver, sans avoir à se vêtir avec soin ni avec goût ni avec attention, sans se maquiller, sans se coiffer. Le plaisir de s'effondrer dans un fauteuil, d'allumer une cigarette merveilleuse et de fermer les yeux sans que personne crie, ne bourdonne au loin, ne s'approche, ne vous parle, ne commente le temps, le jour, ni l'heure qui passe, ne vous tourmente.

De son lit elle voyait la baie.

Elle avait placé la bibliothèque et le lit près de la fenêtre, sur la droite. Le dos du lit portait contre la bibliothèque. Un vieux lampadaire, assez bas, lui donnait une bonne lumière, une lumière basse, nettement circonscrite à sa tâche et à ses doigts, une lumière qui ne chauffait pas le crâne ni ne brûlait les yeux.

La bibliothèque était encore vide mais bientôt elle serait pleine grâce à ses commandes sur Internet, à ses « sorties papier », à ses découpages.

Bientôt, contenue dans son chant minimal, elle verrait la baie — et ne la verrait plus.

Jour et nuit elle verrait la baie et, la voyant, ne verrait plus qu'un monde interne.

Elle *entendrait* la baie dont elle participerait.

Sur sa gauche un tourniquet à livres qu'elle avait acheté sur la place du village de Filosseno — déjà rempli de magazines français ou italiens, tous arrogants, violents, nécrologiques, politiques, emphatiques, religieux, funèbres — sur lequel elle posait son thé.

Les feuilles, les fleurs, les pots, les tasses, les tables, les branches brillaient sur la terrasse comme des cristaux.

Elle grignotait dehors emportant sur un plateau ses compotiers, ses ramequins, ses soucoupes dépareillées.

La lumière de la baie de Naples est peut-être la plus belle qui puisse se voir en ce monde. Tout sentait l'eau et ressemblait à l'eau, les minuscules vagues lointaines sans cesse éveillées, la marée de la lumière, la terre du jardin redevenue fraîche, retournée par elle en petites vagues courtes, brunes et noires, à coups de bêche, après chaque averse.

Elle s'attacha véritablement à ce site qui lui donnait l'impression de vivre au cœur de la mer. Elle soignait ce fragment de nature. Anxieuse, elle s'occupait de la vie qui y poussait, qui y affluait, qui s'y multipliait. Elle se relevait la nuit au moindre bruit qui lui paraissait anormal. Elle entretenait de façon jalouse cette langue de terre, cette étroite et longue villa. Elle en fleurissait le bord, lavait la roche volcanique. Elle se l'attachait porte par porte, fenêtre par fenêtre, marche par marche, coin par coin.

*

Chaque aube *l'attendrissait*.

Elle installa un grand sofa blanc (c'est cela qu'elle appelait le « lit de Georges ») pour la contempler.

Un vieux tapis immense, bleu passé, acheté pour rien (tellement grand qu'il était vendu pour rien) devant la cheminée de la première salle.

Une belle table entourée de dix chaises devant la cheminée de la cuisine.

*

Le dimanche, après la messe, elle appela sa mère, se fit insulter, raccrocha avec violence. Elle se mit à ranger les livres qu'elle était allée chercher à la poste d'Ischia Porto en microtaxi. Élevant les mains jusqu'à la plus haute étagère, elle voulut faire glisser un gros livre d'opéra, elle se haussa sur la pointe des pieds, elle chercha à le pousser pour qu'il entre plus profondément dans le rayonnage, elle tomba brusquement par terre.

Ce fut le peintre qui la trouva.

Elle était évanouie — un peu plus qu'évanouie. Elle dut rester deux semaines à Naples, dans une clinique où il n'y avait que des vieillards impitoyables et dans laquelle il n'y avait guère moyen de se faire des amis — sinon le médecin (Leonhardt Radnitzky) qui était allemand, très mélomane (l'épouse italienne qui l'avait quitté était une cantatrice assez renommée), qui la connaissait, qui admirait ses disques, qui la soigna bien, qui la rétablit.

Elle harcelait le docteur Radnitzky ne songeant qu'à rentrer, obsédée de retrouver la villa Amalia que lui, pour son compte, jugeait éloignée de tout de façon excessive.

Finalement il l'autorisa à regagner Ischia pour peu qu'elle prît une chambre à l'hôtel des Maures. Ce ne serait que momentané. Le temps de la convalescence, le temps aussi de compléter ou d'approfondir les analyses.

Il lui interdit aussi de nager seule dans la baie.

Elle se rendait villa Amalia dans la journée. L'électricien et le maçon avaient fini leur travail. Le menuisier, le peintre achevaient le leur. Quand les ouvriers partaient elle restait à lire sur la terrasse. Dès que le soir tombait, elle se dirigeait vers l'hôtel qui n'était qu'à une centaine de mètres de là.

CHAPITRE X

À droite de la réception de l'hôtel des Maures s'étendait un salon immense. Il était divisé en trois grandes parties : une grande salle avec un bar, un piano-bar, de nombreux fauteuils club en cuir, des petites tables basses, où il y avait toujours du monde.

Une bibliothèque très faiblement éclairée avec une belle cheminée du XVIIIe siècle qu'on n'avait pas le droit de faire marcher et de larges fauteuils gris.

Il y avait enfin une salle de jeu d'autrefois, avec un billard central dont le tapis était recouvert de deux portes de très belle et très ancienne marqueterie, des poufs en cuir mauresques, une chaise longue un peu poussiéreuse mais infiniment confortable. Personne n'y allait jamais. Elle y prenait l'apéritif seule. Les baies vitrées couvertes de fleurs de bougainvillier et de grappes de glycine rendaient la pièce assez obscure et — les jours de pluie — relativement oppressante. C'était un havre de paix et — l'été — de fraîcheur.

Un vendredi soir le docteur Radnitzky se trouva
là.

Il lui dit qu'il prenait souvent une chambre dans
cet hôtel le week-end quand il était seul à Naples.
C'était la raison pour laquelle il lui avait communiqué cette adresse, jugant nécessaire qu'elle se
repose. Il aimait pêcher en mer. Pour l'instant il
était occupé à préparer une plongée, entre Vivara et
Procida, sous la pointe dite de Pétrone.

Il se tenait penché sur la carte de la région qu'il
avait entièrement développée sur les portes marque-
tées du billard.

Sur cette carte étaient figurés les criques les plus
sauvages, les moindres sentiers des îles.

Elle tendit son doigt pour lui montrer la maison
au toit bleu.

— C'est là, dit-elle.

— Quoi donc ?

— L'emplacement du paradis.

Elle lui montra un petit carré noir au terme d'un
sentier. Soudain elle sentit son corps, la présence de
son corps auprès d'elle.

— En fait c'est bleu.

— Avant la punta Molina. Avant la villa Neuzi
Bozzi.

— Il faut passer par le boulevard maritime.

— Non.

— Regardez donc !

Elle attira la lampe sur les panneaux de marqueterie. Tout à coup il se mit à regarder ce visage de
femme qui était tout illuminé de joie en regardant le

plan. Il se pencha de nouveau. L'île était entourée de couleur bleue. Son front toucha son front et ils se regardèrent.

*

Ils dînèrent ensemble. Il lui dit qu'après-demain soir était le grand jour. Son épouse lui ramenait sa fille de New York. Il était angoissé.

— Comment s'appelle-t-elle ?

— Magdalena.

Ils montèrent ensemble dans la chambre de Leonhardt.

Sur la terrasse, dans la nuit, elle dit à Leo Radnitzky :

— Je pense qu'il y a en moi un fond d'obstination passive qui a fait le malheur de ma vie.

— Passive ?

— Oui. C'est difficile à comprendre mais c'est ce que je pense.

— Pourtant vous êtes une femme libre, seule, vous avez créé de très belles choses...

— J'ai peu créé. Je ne suis seule que depuis peu. J'ai perdu mon temps avec des hommes qui ne m'aimaient pas. Vous êtes divorcé ?

— Oui.

— Vous avez une amie ?

— Non.

*

Le lendemain ils allèrent en barque sur Procida.

Il plongea, comme il l'avait dit, sous la Grotta del Petrone.

Il l'autorisa à recommencer à nager, à ses côtés, sous sa surveillance. Ils passèrent toutes les heures du jour et les deux nuits ensemble. Elle lui fit découvrir sa maison.

CHAPITRE XI

— Non, pour la musique, je ne dirai pas que j'ai éprouvé, jadis, quand j'étais enfant, un coup de foudre. Ça n'a pas été non plus une vocation. Ç'a été plus terrible et j'étais encore beaucoup trop petite pour que ce soit une vocation. C'est très proche d'une sensation de vertige panique. Mon père était musicien — et pourtant cela ne concernait pas mon père. C'était comme dans l'angoisse. On a soudain l'impression d'être engloutie par un tourbillon d'émotions dont on ne resurgira pas. On ne remontera pas. On coule. Il n'y a plus de bord. On ne retrouvera plus l'équilibre. Cela arrive quand on est très amoureuse. Pour moi c'est la définition. Sentez-vous ce vertige ? C'est le signe. L'abîme est là et il s'ouvre vraiment et il aspire vraiment. J'ai connu cette sensation totale, qui fait tomber corps et âme, une seule fois. J'étais vraiment petite. Je ne sais pas au juste quel âge je pouvais avoir. Je ne savais pas encore lire.

Nous, les deux enfants, nous n'avions pas le droit de monter à l'étage de mon grand-père.

Quand je parle de mon grand-père, je parle du père de ma mère. Je n'ai pas connu l'autre.

Je fonce dans l'escalier, je fonce sur le parquet noir du couloir, je ne sais plus quel est le motif, je ne sais plus quel peut bien être le défi, j'ouvre la porte. Ils étaient tous les quatre en train de jouer. Cela faisait un bruit si intense. Plus fort que l'océan. Je n'avais jamais rien entendu d'aussi fort. Chacun avait son lampadaire auprès de lui. Chacun avait son pupitre en bois devant lui. Mon grand-père avait le visage couché sur son violon. Il était le plus vieux des quatre et il tenait ses yeux fermés. Mon père — qui avait tous les dons — était capable de jouer de n'importe quel instrument. Il devait tenir la partie d'alto. Personne ne m'avait entendue entrer. Ils jouaient quelque chose d'incroyablement rapide. Ils jouaient une œuvre bouleversante. Je pense maintenant que c'était du Schubert.

Une jeune femme très belle, au violon, les yeux grands ouverts, face à moi, ne me voyait pas. Elle me souriait mais elle ne me voyait pas.

C'était une tristesse trop grande, vertigineuse, qui ne cessait pas, qui même s'accroissait.

Tristesse trop grande même s'il n'y a jamais de tristesse trop grande pour les petits. Les petits connaissent les terreurs qui sont les premières, les terreurs princeps, celles qui sont sans référence dans l'expérience, qui plus jamais ne se retrouvent sur leur chemin. Les pires. Les tristesses abyssales.

Je restai assise par terre, le dos contre la porte. Toute la surface de ma peau était couverte de grains de poule. Tous mes petits poils à peine poussés d'enfant étaient hérissés. Je tremblais. Ce n'était pas du bonheur ou du malheur. Ce n'était pas psychologique. Je ne sais pas de quoi mon corps tremblait. Je les ai écoutés jusqu'au bout. Quand tout a été fini, pendant qu'ils rangeaient leurs instruments dans les boîtes noires, je suis allée demander à mon grand-père — lui parlant tout bas dans son oreille — si je pouvais venir les autres fois où ils joueraient.

— Si tu restes assise dans un coin bien sage comme tu l'as fait aujourd'hui, bien sûr, Éliane.

Il quêtait du regard l'assentiment des autres musiciens, qui le lui donnèrent — hochements de tête, haussement d'épaules pour ce qui concerne mon père.

Les jours de quatuor je montais dans son bureau bien avant l'heure. Je m'installais près de la porte.

Bien sûr ils me voyaient en entrant mais ils feignaient de ne pas me voir — petite fille dissimulée par un tourniquet à livres carré, en ébène, vaguement chinois, le dos contre le mur, près du tuyau du chauffage. Je faisais mine de regarder les rayonnages couverts de reproductions de peintures, de photographies de musiciens, de grands hommes, les livres de toutes sortes. Ils poussaient le bureau de mon grand-père. Ils installaient les chaises, les pupitres, les partitions. Soudain ils se taisaient. Soudain la musique s'élevait. Tellement distincte d'eux. Tellement plus forte qu'elle peut l'être quand on écoute des disques et que spontanément on baisse le volume de la chaîne parce qu'on espère diminuer l'émotion qu'on va ressentir. Chaque fois ma gorge se serrait, ma peau se hérissait, le muscle de mon cœur tremblait, j'avais envie de sangloter, je ne savais plus comment respirer, j'étais submergée.

*

— Le monde intérieur s'ouvrit ainsi en moi. Par cette ouverture obscure mon corps prit l'habitude de passer, quitter la terre, quitter l'espace externe.

*

— Quelquefois, à un moment du morceau, c'était si beau.
La douleur se mêlait à la beauté intense.
Je ne bougeais plus, je ne vivais plus.
Les enfants commencent par être tétanisés par la beauté. Sidérés par elle. Mourant en elle.

*

Leonhardt Radnitzky :
— Je ne sais pas si ma petite Lena va aimer la musique. Moi j'aime l'opéra. La nuit, avec mes écouteurs, je joue ou j'écoute des airs d'opéra. J'aime la voix plus que la musique même. Vous chantez ?
— Non.
— J'aime la hauteur et le timbre de votre voix même si vous ne chantez pas. Sa maman chante.

172

Elle chantait du moins alors. J'aimais sa voix. C'est sa voix qui me l'a fait aimer.

— Vous l'aimez toujours?

Il hésita.

— Oui. Un peu. C'est elle qui est partie. Lena revient de chez elle demain.

— Je pense vraiment que la musique, d'abord, sur les tout petits enfants, à cause de l'audition en eux qui les précède, qui précède leur venue en ce monde, les *perd*.

— Elle revient demain.

— Puis-je vous faire remarquer que cela fait au moins deux fois que vous parlez de ce retour de votre petite fille?

— Trois mois l'un, trois mois l'autre. C'est le jugement qui a été prononcé. Élever seul une enfant de deux ans et trois mois, je ne sais pas si j'en serai capable. J'ai peur, c'est vrai. C'est pour cela que je vous en parle. Je serais si heureux d'être capable de l'élever. Vous voulez la voir?

— Je veux bien.

— Ne venez pas trop tôt. Ne venez pas demain. Ne venez pas après-demain...

— Je peux aussi ne pas venir du tout.

— Ne soyez pas susceptible. Venez jeudi.

*

Le docteur Leonhardt Radnitzky hélas était aussi généreux dans ses inquiétudes somatiques, dans l'obsession de ses difficultés familiales, à l'égard de ses problèmes professionnels, qu'il était prodigue de ses joies, de ses envies subites, de ses gourmandises impromptues, de ses randonnées improvistes, de ses plongées soudaines.

*

Ann à Véri :
— J'éprouve dans les bras des hommes qui m'attirent une volupté de plus en plus inconsistante.

*

Pauvre fièvre mêlée de peur.

Les hommes qu'elle désirait étaient désormais des hommes des rêves. Ils se déplaçaient comme eux, flottant un peu davantage. Les rares hommes vivants, elle les reconnaissait autrefois à leur immobilité, à leur silence, au secret répandu autour d'eux sous forme d'une violente réserve. Mais désormais elle se méfiait. Désormais elle jugeait les hommes uniquement à la façon très particulière dont leurs pieds entraient en contact avec le sol et dont leurs yeux s'ouvraient tout grands.

CHAPITRE XII

Il habitait au 4. Elle eut le pressentiment très vite, avant de pénétrer dans la rue, que quelque chose allait lui arriver. Pourtant, si elle voulait être tout à fait franche avec elle-même, elle ne ressentait que de l'amitié pour Radnitzky — une amitié sensuelle mais point de l'amour, elle le savait, elle se connaissait. Or, quelque chose allait se produire dans les heures qui venaient. Son cœur la pinçait. Elle se tenait plus droite. Elle s'était maquillée. Elle était très belle. Elle avait acheté à Naples des grands lys pour le père, des chocolats pour l'enfant. À vingt heures elle sonnait à la porte. Une petite fille de deux ans, les pieds nus, mystérieusement haussée sur ses doigts de pied, les yeux levés immenses et noirs, belle comme une princesse de conte, la fit entrer cérémonieusement dans un grand appartement bourgeois, lui débitant un discours dans un napolitain d'enfance truffé de mots américains — où Ann ne comprit tout d'abord pas un mot.

Elles entrèrent dans un salon rempli d'étagères

— toutes sans livres — sur lesquelles étaient posées des centaines de photographies anciennes.

Les murs étaient bleus

Les fenêtres étaient bordées de géraniums blancs.

Il y avait un grand piano à queue blanc, électrifié.

— C'est beau chez toi, lui dit-elle.

— C'est beau chez moi.

— C'est curieux tous ces géraniums blancs partout.

— Oui. Curieux tous ces géraniums.

La lumière venait sur les fleurs blanches. Les pétales irradiaient sur ces murs qui étaient aussi violemment bleus qu'une coque de bateau de pêche.

— Je m'appelle Ann, lui dit-elle.

— Je m'appelle Magdalena. Maman m'appelle Magda. Papa m'appelle Lena.

— Tu veux que je t'appelle comment ?

— Comme papa.

On avait téléphoné au père pour une urgence à l'hôpital. Les deux Napolitaines qui gardaient l'enfant retournèrent à la cuisine où elles étaient en train de préparer les dîners successifs.

L'une d'elles revint soudain en portant un long vase contenant les lys — puis repartit aussi brusquement qu'elle était venue.

Magdalena se tenait assise, tout empêtrée, s'effondrant en arrière dans son fauteuil, les deux genoux serrés l'un contre l'autre.

Ann ne savait que faire. Elle se leva. Elle s'approcha du piano électrifié, découvrit le clavier, organisa le son et le toucher. Elle joua du piano à l'enfant.

L'enfant, bouche bée, la fixait.

— Encore.

La petite se mit à se balancer.

— Encore.

Elle ne voulut pas dîner à la cuisine. Il fallut la faire manger devant le piano.

Ann continuait de jouer.

La petite ne voulut pas aller se coucher.

C'était assez effrayant, ce tout petit enfant un peu tragique — ce nourrisson à la limite des larmes — dès qu'Ann Hidden cessait de jouer.

Quand Leonhardt fut de retour, il alla aussitôt coucher la petite Magdalena dans sa chambre.

La petite réclama Ann.

— Pardonnez-lui, lui dit-il, elle veut un dernier baiser. Sa mère aussi est musicienne. Vous devez lui faire penser à elle.

— Sa mère aussi joue du piano ?

— Très mal. Non. C'est moi. La nuit, quand je me réveille, je joue avec les écouteurs... Ann, pardonnez-moi de vous demander cela mais la petite veut un dernier baiser.

Ann se leva.

Elle poussa la porte laissée entrouverte. Elle chantonna près de sa joue un des chants roumains qu'elle avait joués. Elle se laissa tomber sur le plancher de sa chambre, dans la ruelle du lit de l'enfant. Elle psalmodiait le nez dans l'odeur de lait, de crème, de pâte, de sucre des petits enfants. Magdalena s'endormit d'un coup, poussant un grand soupir.

CHAPITRE XIII

Leurs corps *créaient* le silence dans lequel elles vivaient. La petite Radnitzky aimait ce silence qui entourait le corps d'Ann Hidden — plus encore que la musique peut-être — ou qui était son compagnon énigmatique. Autour d'elles, autour de leurs jambes, autour de leur ventre, autour de leur torse, en s'avançant, le silence et la lumière s'intensifiaient mystérieusement. Les bruits s'anéantissaient tant leur présence possédait d'ascendant. Autour des félins il en va de même. C'était très étrange.

La petite Lena la voulait sans cesse à ses côtés.

D'ordinaire, passé l'âge de deux ans, les enfants commencent à parler aisément et avec précision.

Magdalena ne parlait pas bien. Ann supposa qu'elle attendait un signe de sa mère.

— Un signe ? demandait Leonhardt. Mais elle vient de la quitter !

— Oui, un signe. Une assurance. Quelque chose. Je suis experte dans ces choses-là.

— Je vais l'appeler mais cela m'ennuie. C'est mon premier trimestre. Cela m'ennuie de demander cela à sa mère. Elle va désirer la reprendre. Tout servira de prétexte pour la reprendre.

Il ne l'appela pas.

— Vous avez tort, répétait Ann. Cette petite appelle.

C'était une petite enfant dont le visage était la nostalgie même. Ann Hidden avait vu chez le docteur Radnitzky le portrait de son ancienne épouse. Sa mère vivait désormais avec un chef d'orchestre américain.

La petite Lena (Magdalena Paulina Radnitzky) avait découvert toute seule cet amour et s'y était acclimatée mystérieusement.

Une espèce de ferveur, presque de folie, la reprenait à chaque fois, dès qu'Ann rejouait pour elle de nouveau au piano les vieux chants d'enfance de Bretagne, des cantiques catholiques, des airs de Roumanie.

Puis, villa Amalia, sur l'île, sur la terrasse, elle fit écouter à Lena le printemps, le bruit des premiers feuillages, le son des oiseaux fêtant le soleil, le vent la nuit, les voix lointaines parfois, le ressac sourd au-dessous de la falaise.

Il fallut d'abord accoutumer l'oreille de l'enfant à la signification de ce qui était entendu.

Puis, plus lentement, avec des mots, elle lui apprenait à orchestrer dans l'espace la symphonie d'abord incompréhensible du temps.

— Car tout dans la nature, les oiseaux, les marées, les fleurs, les nuages, le vent, les heures des étoiles, dit au temps son temps, expliquait-elle à Lena.

Lena, sidérée, avalait tout de ce que sa nouvelle amie lui susurrait.

En quelques jours elle déchiffra en sens tout le lieu au haut de la colline, toute la vie autour de la maison.

*

À quatre pattes sur les grands carreaux de la salle, la tête en avant, la bouche bourdonnante, elle faisait avancer un convoi de petites voitures de pompiers et d'ambulances en direction de la cheminée.

Ann Hidden lui offrit un xylophone aux touches peintes de couleurs vives que Magdalena ne toucha jamais.

*

Un jour, il y eut un orage. Toutes les deux sur le balcon du docteur Radnitzky regardèrent l'arrivée de l'orage sur la mer.

La baie s'engloutit dans une nuit plus opaque que la nuit même.

Les éclairs sillonnaient le ciel.

À Véri :

— Alors j'ai senti une petite main qui se glissait entre mes doigts. Elle tremblait. Je frottais ses doigts glacés pour les réchauffer.

— Cela va ? lui demandai-je. Dis-moi, Magdalena, cela va ?

Elle poussait mes genoux pour monter dans mes bras. Elle s'agrippait, toute blottie dans mes bras, la tête tournée vers la mer. Elle tremblait de joie maintenant.

Ce fut un magnifique orage.

À dater de ce jour elle adora les orages et toutes les sautes et les surprises inexprimables dont ils s'entourent. Elle se décréta amoureuse de l'orage (du moins l'orage était-il son amoureux pour peu qu'elle fût dans les bras d'Ann). La petite avait désormais son dieu.

Elle avait choisi d'emblée le plus ancien des dieux.

Elle tarabustait son père afin de revoir l'amie qui faisait naître les orages.

*

Magdalena Radnitzky avait des petites cuisses si maigres. Des cuisses, des jambes aussi maigres que des pattes d'oiseau. C'était une petite fille qui n'était pas particulièrement gracieuse, qui avait beaucoup de cheveux très longs, qui était boulotte pour le haut, dont la beauté était tout entière contenue dans l'animation de son visage. Son corps projetait autour d'elle un incroyable rayonnement dès l'instant où elle était heureuse. (Quand elle voyait Ann s'asseoir devant le piano, quand la mer se soulevait, quand un orage montait au-dessus des îles de la baie.) Naissait en elles une incroyable énergie dès qu'elles se voyaient. On pouvait presque dire qu'elles s'aimaient. On ne pouvait estimer, de l'une et de l'autre, qui aimait le plus.

CHAPITRE XIV

Il pleuvait. Ann Hidden attendait Georges Roehl sur le ponton.

Le dos voûté, la tête trempée, il descendit sur le quai avec un grand sac à dos en cuir noir fixé à ses épaules.

À trois mètres du débarcadère, à l'intérieur de la Fiat noire de Radnitzky, ce fut Georges qui — le premier — aperçut une petite fille debout sur la banquette arrière regardant dans le vague. Son visage était tout triste. Elle regardait la pluie qui tombait sur la vitre de la voiture ou bien sur la criée.

Quand elle les vit arriver, son visage s'illumina d'un coup, d'une façon inoubliable. Elle se mit à taper de toutes ses forces avec ses poings contre la vitre. Ann lui sourit, ouvrit la porte, la présenta à Georges qui était tout embarrassé.

Commencèrent les ennuis de Georges Roehl.

Il n'aimait pas les enfants faute de savoir comment s'y prendre avec eux.

Ce fut aussi une jalousie immédiate, impétueuse, féroce, irrémissible, à l'instant même où il les regarda s'étreindre par la porte ouverte sous la pluie.

Puis ce fut de la rancœur, de l'horreur à l'encontre de l'île, ou peut-être même à l'encontre de la mer elle-même.

Une pluie fine tombait.

La ruelle qu'ils empruntèrent était semée de grosses pierres devenues glissantes. La mousse qui les recouvrait s'était gorgée d'eau.

La montée vers la maison fut particulièrement boueuse. Il faillit tomber. Il était difficile d'avancer le long d'un sentier aussi escarpé et glissant. Pourtant il y avait des amandiers. Des roses.

Georges était intimidé non seulement par la petite Magdalena mais par la langue italienne.

— Regarde comme je suis heureuse ici! disait Ann.

Il observait Magdalena blottie contre son ventre.

Il remarquait la pluie qui tombait partout.

*

Il détesta les restaurants de l'île.

*

Les averses se renouvelaient de quart d'heure en quart d'heure.

— Voilà que ça recommence, dit le boulanger à Ann.

— Voilà que ça recommence, répétait Magdalena en l'imitant (c'était sa grande époque moqueuse).

Ann hésitait à sortir de la boulangerie tant l'averse était violente.

Georges les attendait en imperméable, un chapeau en nylon noir sur le crâne, un parapluie fermé à la main, de l'autre côté de la rue, devant le séminaire d'Ischia, avec l'air de dormir debout.

*

Il n'aima pas l'éloignement de la petite maison au toit bleu — et surtout le chemin sale et pas toujours praticable qui y conduisait. Il déclara à Ann que cette pluie bretonne sur cette mer bretonne déprimait un homme qui n'avait pas fui pour rien la Bretagne. Alors, blessant Ann, il alla s'installer à l'hôtel. Il passait la majeure partie de son temps loin d'elle, sur le port, dans les nombreux cafés qui le bordent. Entre deux averses il tirait son fauteuil en plastique blanc plus avant sur le quai pour profiter du rare soleil et afin de mieux examiner les marins qui quittaient en canot ou en bateau à moteur les voiliers, qui se dirigeaient vers la digue principale. Il regardait les vacanciers qui débarquaient, les barques qui accostaient. Il s'engourdissait, ou il s'ennuyait, ou il s'enivrait, ou il rêvait.

CHAPITRE XV

Dans l'appartement de Leo, à Naples, Ann faisait jaillir un expresso.

Lena se tenait près d'elle, debout, très droite, les deux mains agrippées à l'évier.

Leo lui coupait les cheveux.

Ann regardait les boucles des cheveux de l'enfant qui tombaient sur le carrelage de la cuisine.

— Plus court, disait Lena.

— Plus court encore ? demandait son père.

— Oui. Plus court. Aux épaules. Comme Ann.

Leo soupira et recommença à couper avec les ciseaux les cheveux de sa fille.

Sa mère avait voulu l'appeler Magdalena à cause de Bach (alors que Leonhardt Radnitzky prétendait qu'il descendait en ligne directe de Johann Radnitzky qui était le copiste de musique de Joseph Haydn. Il n'avait pas quarante ans quand il mourut à Vienne. Il avait été retrouvé mort de froid dans sa chambre, un matin de janvier 1790, en train de recopier une partition de Haydn).

— Mon père, dit Ann Hidden, avant l'accord

avec Berlin, avait été en Roumanie un musicien d'orchestre. Mon père a été mon professeur jusqu'à ce qu'il parte. De quatre à six ans on faisait deux à trois heures de piano par jour. Je me souviens que mon petit frère criait derrière la porte, pleurait pour que je vienne jouer avec lui. Il détestait la musique.

— Et puis?

— Leo, vous voulez un café?

— Non.

— Et puis je ne sais pas. Je me souviens mal, j'ai dû bouder un an quand il est parti.

— Bouder un an!

— Plus d'un an à vrai dire. Dix-huit mois ou deux ans. En plus, Nicolas était mort.

— Et puis?

— Et puis ma mère a vu que je m'étais mise à composer tout le temps, je notais pendant des heures des airs, des cantiques, de la musique, elle m'a poussée. Un grand concertiste qui avait été très lié à mon père venait parfois jusqu'au conservatoire de Rennes. D'autres fois j'allais le voir à Paris.

— Qui? demanda Leo.

— Je ne vous dirai pas son nom.

— Qui? répéta Leo.

— Il vit toujours à Milan, plus célèbre qu'il n'a jamais été. L'expérience a été atroce pour des raisons humaines...

— Lesquelles?

— Ne me questionnez pas, Leo, c'est inutile. Mais je reconnais volontiers que cela a été un extraordinaire professeur. Pédagogue nul. Homme nul.

Maître fascinant. Pianiste irrésistible. Ensuite j'ai eu beaucoup de mal avec les hommes.

— Je sais cela.

— Que veut dire ce « je sais cela » ?

— Cela se devine.

*

Confier à l'autre son sommeil est peut-être la seule impudeur.

Laisser se regarder en train de dormir, d'avoir faim, de rêver, de se tendre, de s'évaser, est une étrange offrande.

Une incompréhensible offrande.

Sous les paupières elle voyait ses yeux qui frémissaient, qui bougeaient sous la peau fragile et pâle. Elle voyait tout. Elle voyait qu'il rêvait. À qui rêvait-il ? Elle rêvait curieusement qu'il rêvait des rêves qui ne rêvaient pas d'elle.

Il se trouvait qu'il poussait en dormant des soupirs — comme sa petite fille.

D'immenses soupirs l'un et l'autre comme des renoncements.

*

Le jour était levé. De sa vie jamais Ann n'avait dormi si longtemps qu'auprès de cet homme. Leo était parti se laver. La petite était en train de tirer sur le drap. Elle inspectait son ventre. Elle lui dit qu'elle n'avait pas de sexe.

— Un petit peu quand même, dit Ann en se cachant, tirant le drap sur elle.

Mais la petite Lena ouvrit ses jambes, lui montra son sexe et lui dit qu'elle non plus.

— Un petit peu quand même, répéta Ann et elle la prit dans ses bras et elles rêvassèrent.

*

Durant tout le printemps Ann Hidden travailla sur les quarante-deux églogues. (Les sept recueils de six pièces que Jan Křtitel Tomášek fit paraître de 1807 à 1823.)

— Tu es capable de les réduire à sept, dit Georges.

— Peut-être à trois. Tu sais, je fais d'énormes progrès.

*

La pluie avait cessé.

Georges sortit dans la rue en marchant avec difficulté.

Il ne faisait pas encore jour mais la nuit avait commencé de quitter le ciel. Le ciel avait encore quelques étoiles. Il faisait déjà chaud.

Il chercha un microtaxi. Il n'en trouva pas. Il dut marcher jusqu'à la villa.

Arrivé villa Amalia il frappa au carreau.

Il la réveilla en murmurant son nom à sa fenêtre, derrière la vitre, tapotant sur le carreau.

Elle mit un tee-shirt. Elle vint ouvrir.

Elle cria. Il était en sang.

— Qu'est-ce qui s'est passé ?

— Ne me pose pas de questions, Anne-Éliane. Je suis trop vieux. Tous ceux qui sont beaux me trouvent trop vieux. Ils s'amusent.

— C'est odieux. Il faut prévenir la police.

— Non, c'est à mes propres yeux que je passerais pour odieux si j'imaginais de me plaindre. Je l'ai cherché.

— Il faut faire quelque chose.

— Non. Ils s'amusent. Ils ont raison. Ils s'amusent impunément. C'était si joyeux. On a tellement bu.

Elle le lava. Elle le soigna. Georges effrayé par la mer, ne comprenant pas l'italien, déprimé, jaloux de la petite Magdalena, couvert d'ecchymoses, décida de rentrer en Bourgogne. Elle le conduisit jusqu'à l'aéroport de Naples.

TROISIÈME PARTIE

CHAPITRE PREMIER

Je somnolais au soleil, le dos appuyé contre la coque du petit voilier, un livre posé près de moi. Il faisait un temps merveilleux.

— Regarde, Charles ! Mais regarde ! cria Juliette tout à coup.

Je levai les yeux.

— Regarde !

Je dressai ma tête au-dessus du bastingage mais je ne voyais rien.

— Tu ne vois pas ?

— Non.

— Regarde !

— Dis-moi au moins ce qu'il faut que je regarde !

— Oh mon Dieu ! gémit-elle.

Je me mis debout sur le pont du bateau. C'est alors que je vis les cheveux blond et blanc épars sur l'eau.

— Signora ! Signora ! criait mon amie.

— Elle fait la planche peut-être, murmurai-je en percevant la forme sombre qui flottait à la surface de la mer.

Mais la nageuse ou le cadavre ne répondait pas aux appels de Juliette.

Juliette se mit à la barre — approcha le voilier. On était en haute mer, à l'est d'Anacapri. La femme ne répondait toujours pas.

— Elle ne bouge pas. Elle a les yeux fermés. Vas-y !

— Tourne encore un peu.

Je plongeai — ou plutôt je sautai dans l'eau.

Je m'approchai prudemment du corps qui flottait.

— Signora.

Elle n'ouvrit pas les paupières mais elle dit en français en remuant simplement les lèvres :

— Je suis épuisée. J'ai une crampe terrible.

Je répondis en français :

— Alors ne bougez pas.

Elle murmura avec une espèce d'irritation :

— Il y a longtemps que je ne bouge pas. Les yeux me brûlent affreusement.

J'avais glissé mon bras sous ses épaules. Je me glissai tout entier sous elle. Je la fis peser sur la surface de mon corps, je l'amenai doucement au bateau.

— Appelez le docteur Radnitzky à Naples, demanda-t-elle après que nous l'eûmes hissée.

Juliette composa sur son portable le numéro de téléphone qu'elle lui indiqua.

Elle était très pâle. Elle était allongée sur le pont. Elle se mit sur un coude.

Puis elle chercha à s'asseoir. Je l'aidai à s'adosser.

— Quel est votre nom ?

— Charles Chenogne.

— Merci. Vous m'avez sauvé la vie.

— Quel est votre nom à vous ? lui demandai-je.

— Ann Hidden.

— Vous êtes la musicienne ?

— Oui.

— Je vous connais.

— Moi aussi je vous connais.

— Ah !

*

À la limite du quai se trouvaient déjà l'ambulance et le docteur Radnitzky.

Devant l'ambulance une petite fille nullement attristée regardait attentivement. Elle était plutôt très intéressée par ce qui se passait à l'intérieur du véhicule.

Devant le café du port de plaisance le loueur de piano buvait un expresso.

Face à lui, en soutane, le curé de la chapelle maritime buvait un Coca directement à la bouteille.

Dans l'angle de la porte, à gauche du café, juste avant le marchand de journaux, un civil au visage glabre, maigre, ridé, s'appuyait contre le mur. Il fumait. Il approchait de la vieillesse. Il était chauve, de rares cheveux blonds autour des oreilles, des lunettes rondes cerclées de fer, des grands yeux pâles. Il n'avait plus qu'un filet de voix — quand il parlait. Mais il parlait si peu que tous l'avaient

oublié dans son coin. Il soutirait la fumée de sa cigarette par petites saccades, inspirant longuement, fer-
mant à demi les yeux. Il allait mourir. C'était moi.

*

— Pardonnez-moi, cria-t-elle.

Elle se leva brusquement de table et quitta le restaurant.

— Qu'est-ce qu'elle a ? demandai-je au docteur
Radnitzky.

— Rien. Ne vous inquiétez pas, répondit-il.

— Quoi, rien ?

— Oui, qu'est-ce qu'elle a ? insista Juliette.

— Elle a ses *bribes* de musique. Vous devez
comprendre cela, Charles.

— Je n'ai jamais composé, dis-je.

— C'est-à-dire ? demanda Juliette. Qu'est-ce
qu'elle va faire ? Elle va nous laisser en plan toute la
soirée ?

— Non, non. Elle va les noter dans la voiture qui
est garée dans la rue pour s'en débarrasser le cerveau puis elle va revenir.

*

L'hiver, la pizzeria sur la grand-rue était toujours
à peu près vide. Au fond de la grande salle il y avait
une petite salle d'appoint qui n'était vraiment utili-
sée qu'au mois d'août et qui donnait sur le jardin.
L'hiver on n'avait pas le droit d'y manger mais c'est

là que je retrouvai Ann Hidden trois jours plus tard. La patronne voulait bien nous y servir le thé et ses gâteaux à la condition qu'on n'y fume pas. Nous fumâmes quand même une ou deux cigarettes, debout, en entrouvrant le vasistas. Il y avait des étagères couvertes de bouteilles d'huile d'olive locale et de sirops de citron. Il y avait deux aquariums. L'un était sans eau. L'autre plein de petits crustacés et de petits poissons assez fiévreux. Le vide à vrai dire n'était pas le moins attrayant — du moins à mes yeux —, petit désert, cailloux gris, algues recroquevillées, toiles d'araignées, araignées vivantes. Une fine et douce couche de poussière l'embellissait. J'aimais beaucoup cet aquarium vide. C'était la vallée de la mort dans le film que je préfère au monde parce qu'il dit la vérité de ce monde : *Les rapaces*.

Il y avait aussi un juke-box qui par chance était déficient.

Juliette vint nous retrouver au cours de notre goûter. Elle eut la délicatesse d'expliquer à Ann où en était notre vie commune.

— Je ne l'aime plus. Nous ne sommes quasi plus ensemble. Je fais chambre à part. Je fais *chambre à moi*.

— Il ne faut peut-être même pas dire chambre à moi, ni même chambre à soi, déclara Ann Hidden de façon péremptoire. Ce qu'il faut c'est une chambre *à l'écart* de l'idée même de maison. Un lieu *à l'écart* de l'énorme ville humaine mondiale.

— De la rapacité humaine, dis-je.

— Moi, je l'ai trouvé, reprit Ann. J'ai trouvé une

vraie chambre, une longue chambre qui donne directement sur la mer. Vous voulez voir?

— Oui, fit Juliette.

— Je vais vous montrer ce que j'ai trouvé.

Ann se leva.

— Je finis mon café, dis-je. Qui en reprend un?

Sans café je ne vivais pas. Après cinq ou six cafés je commençais à trembler à l'idée de vivre.

— Tu fais ce que tu veux et tu nous laisses faire ce que nous avons envie de faire! s'exclama Juliette.

— Je prendrai un nouveau café très serré, dis-je à la patronne qui se tenait dans l'embrasure de la porte.

Juliette demanda une carafe de vin blanc d'Ischia, se leva, s'approcha d'Ann.

Elle se mit à toucher le visage d'Ann avec ses deux mains.

— Il faut vous reposer. Vous avez l'air de venir d'un autre monde, lui dit-elle.

— C'est toujours agréable à entendre, fit Ann Hidden.

— Vous ne comprenez pas ce que je dis. Vous avez l'air de venir d'autre part que d'Italie.

— C'est vraisemblable.

Mais la jeune femme insistait.

— Où êtes-vous allée chercher votre visage?

Elle lui avait pris les mains. Juliette se servit brusquement, et avala, coup sur coup, deux verres de vin blanc glacé. Elles sortirent. Je les suivis de loin après avoir pris trois nouveaux cafés.

Un expresso.

Puis un ristretto.

Puis un succinto.

Telles sont les stations.

Nous montâmes le sentier ardu.

Je m'assoupis dans un fauteuil.

En m'éveillant je les découvris assises sur un matelas pneumatique qui avait été laissé sur la pelouse pour Lena. Elles passèrent la soirée à se toucher les mains et à se raconter leur vie.

CHAPITRE II

L'appartement que je louais Traversa Champault avait été repeint avec beaucoup de soin par le gendre de la propriétaire en un beau gris satiné. Le gris des boiseries, des portes, des volets, des placards, des radiateurs était plus foncé. Les fenêtres de la chambre principale — les rideaux de coton blanc brodés sur le pourtour de gris — donnaient sur la colline quand les nuages ne l'ensevelissaient pas. Juliette avait monopolisé la chambre du fond. En Italie elle souhaitait que je dise Giulia — parfois même Maria. Tout est possible dans les lieux merveilleux. Elle était si jeune et si belle. Je l'irritais tellement. Elle trouvait que la vie était mortellement fastidieuse au côté d'un homme qui lisait et qui, pour se reposer de la lecture, lisait encore.

La sonnette me fit sursauter.

Je posai mon livre sur la table.

Juliette passa devant moi à toute allure, ouvrit la fenêtre, s'accouda au balustre de bois blanc. Elle n'était pas encore habillée mais elle s'était fait un chignon. Elle se retourna en souriant.

— C'est ma repêchée.

— C'est *notre* repêchée, dis-je.

— Je te laisse.

— Où vas-tu ?

— Il faut que je m'habille.

Je contemplai le visage de la jeune femme avec qui je vivais et qui m'embrassait. Mais à vrai dire je ne parvenais pas à la contempler, l'ombre me gênait, le soleil me gênait, son rire me gênait, sa nudité me gênait, sa précipitation me gênait, son existence me gênait, tout me gênait.

*

J'introduisis Ann et Leo Radnitzky dans la vie locale la plus raffinée.

C'était le moment de la plus forte chaleur.

Ce fut à ce moment que Juliette me quitta.

Juliette lasse de ne rien faire, sur l'insistance d'Ann auprès de Leonhardt, s'occupa à temps plein de la petite Magdalena Radnitzky. (Plus exactement : s'occupa à temps plein de la petite Magdalena trois mois. En alternance tous les trois mois.)

*

Sur l'île il n'y avait que des triporteurs avec des petits toits en bois pour vous transporter, ainsi que quelques microtaxis tout blancs plus confortables parce que hermétiques mais moins nombreux et qui n'étaient jamais là quand le vent se mettait à souffler ou que la pluie tombait. Dans notre groupe, seule la princesse Kropotkine louait une Fiat à l'aéroport de Naples, prenait le ferry et se déplaçait sur l'île avec sa petite voiture.

Mais elle se refusait à nous transporter.

Le microtaxi avait du mal à grimper la petite route sinueuse parmi les champs de citronniers.

Nous allions tous les trois chez Jovial Sénile.

Nous cahotions dans le bonheur.

— Achète des bouteilles d'eau quand tu passes!

Ann était habillée d'un assortiment de brun et de noir.

Juliette multipliait les jaunes.

Puis, au cours de l'été, elles se mirent à s'habiller semblablement. Elles échangeaient leurs habits. Ce qui revient à dire qu'Ann changea du jour au lendemain de garde-robe. Elle s'enticha de tout ce que portait Juliette — elle ne s'en distinguait que dans les couleurs (qu'elle choisissait un peu plus sombres ou âgées ou distinguées ou sévères ou lugubres).

De grands pulls bleus sans forme. Des jupes longues et noires. Toutes deux étaient très belles. Toutes deux cessèrent de teindre leurs cheveux. Elles les laissèrent repousser dans leur couleur naturelle.

Juliette avait vingt ans de moins qu'Ann.

Juliette ne se confiait pas. Elle haussait ses larges épaules.

Revêche, une assurance magnifique, presque théâtrale.

Un peu plus grande qu'Ann Hidden, un peu

moins mince, des yeux plus petits, danseuse, une mine austère, très sportive, soigneusement épilée, elle ressemblait à un morceau de muscle à l'état pur.

Il faisait incroyablement chaud.

morceau de pain à tremper (soldat*)

Magdalena perdit une dent en mangeant un œuf à la coque. Il est vrai qu'elle suçait sans finir les mouillettes. Ann Hidden devait rejoindre Leonhardt sur l'île, directement chez Armando. Elle abandonna à regret Magdalena aux soins de Juliette. Assise devant la table de la cuisine, Magdalena cherchait à faire entrer dans sa bouche (six dents immenses moins une) une nouvelle mouillette couverte de beurre et de sel dont elle ne mangeait que le beurre et le sel. Ann parvint à prendre le dernier bateau de Naples vers Ischia. Elle monta villa Amalia. Elle eut à peine le temps de prendre une douche et de se changer. Quand elle arriva pour le dîner, ils étaient tous à l'attendre, debout, impatients de passer à table.

Armando décollait et collectionnait les affiches représentant les visages en gros plan d'hommes politiques. Il les retravaillait longuement, les déchirait, les redessinait. Il les exposait sous le titre *Immenses visages de malades mentaux*.

C'était sur la colline d'Ischia un cube d'acier et de verre moderne — au sens qu'on donnait au mot moderne dans les années quatre-vingt — où tout point de l'espace pouvait être surveillé de tous les autres points, où toute odeur émise, le plus petit cigare allumé, envahissait dans l'instant l'immense volume, où le moindre chuchotement se réverbérait cent mètres plus loin comme dans une cathédrale du monde gothique.

Les seuls objets non industriels étaient les immenses visages repeints qui tombaient des plafonds à l'aide de cordelettes d'acier.

Armando ruisselait de sueur.

Il était déjà ivre.

— Je ne prendrai pas d'apéritif, dit Ann Hidden en découvrant leurs visages affamés.

Tous se précipitèrent autour de la table en ferraille et en verre dépoli, prirent à peine le temps de s'asseoir. Personne ne parlait. Ils tendaient les mains. Leurs lèvres brillaient, leurs yeux luisaient.

*

Il fit si extraordinairement chaud que les serpents sortirent de leurs nids et gagnèrent l'ombre, la cour, la margelle de l'eau chaude.

Les araignées gagnèrent l'obscurité et la fraîcheur sous les lits.

Les hommes, la nuit, la peur, le souvenir.

CHAPITRE III

Juliette était aux avirons. La barque toucha le sable. Elle aida Magdalena à descendre et tira la barque sur la plage du Castello. Elle monta sur la jetée. Ann était sur le rocher au-dessus d'elles. Elle cria :

— Tu veux quelque chose ?

— Je prendrai comme toi.

Ann alla chercher à l'intérieur du café des Coca light glacés.

Quand elle revint, Magdalena surgit auprès d'elle. Elle avait à son bras un magnifique sac en matière plastique blanc. Elle l'ouvrit avec difficulté. Elle sortit le galet noir qui lui servait pour la marelle :

— C'est pour toi.

Mais Ann ne parvenait pas à lui apprendre les noms des cases de craie de la marelle.

*

Elle ne l'entendit pas venir. Ann se trouvait dans le petit jardin à l'angle de la terrasse, montée sur un des tabourets de la cuisine, les mains en l'air, occupée à cueillir des abricots qu'elle déposait doucement dans un panier d'osier qu'elle retenait en le serrant très fort entre ses deux genoux.

Elle levait la tête dans le soleil.

Les bras tendus, les doigts cherchant à agripper les fruits dorés tiraient l'étoffe de son tee-shirt et dénudaient la peau de son ventre.

Leo la libéra du panier.

Elle tendit vers lui une poignée de fruits tout chauds encore de la chaleur du soleil. Elle le regarda seulement alors.

— Bonjour.

— Ils sont bons ?

— Goûte.

Il en mangea un.

— Ils sont tout chauds. Ils sont délicieux.

Elle portait un chapeau de paille avec un tissu blanc. Regardant au-delà de lui elle poussa un cri de joie.

Elle vit surgir du sentier la petite Magdalena qui arrivait accompagnée de Juliette.

Elle sauta du tabouret dans l'herbe. Elle étreignit la petite fille.

— Tu veux un abricot ?

— Je veux boire, lui dit-elle.

Et elles se rendirent toutes les deux, main dans la main, en riant, dans la cuisine.

*

Leo dormait dans le fauteuil transatlantique à l'ombre de la villa. Les vibrations de la chaleur sur la colline au-dessus de la terrasse étaient extraordinairement mouvantes. C'étaient des espèces d'anneaux qui se contractaient. Ces contractions en progressant modifiaient les arbres, le toit bleu, les fauteuils en fonte puis en s'en séparant lentement les restituaient, deux ou trois minutes après, dans l'état précédent.

C'était plus qu'un serpent.

C'était une bête translucide à anneaux de métamorphoses.

S'il n'avait pas fait si chaud sur la colline, elle aurait pu contempler ses mouvements sauvages pendant des heures.

*

La terre était devenue un mélange de poudre et de morceaux de boue craquelée. Le soleil avait dévoré toute l'eau. Cette brume de l'eau sans cesse dans l'air en rendait la transparence douloureuse.

*

Assise sur les marches tout au bout de la terrasse, une assiette remplie de tomates et de bufflonne sur les genoux, elle regardait la mer d'un air vide.

— Ann ?

Ann s'ébroua. C'était la petite Lena près d'elle, l'air angoissé, qui levait les yeux sur elle.

— Oui, mon amour.

— Tiens! Mais, d'abord, ferme les yeux.

Elle ferma les yeux.

— Ouvre ta main.

Ann ouvrit sa paume.

Elle ressentit une chose toute légère.

— Tu peux ouvrir tes yeux!

Elle vit dans sa main une dent de lait.

Ann Hidden n'était pas seulement une musicienne renommée, elle n'était pas seulement une grande chamane faiseuse d'orages, c'était une femme couverte de cadeaux.

*

La chaleur était telle qu'on ne mangeait plus. On demandait de l'eau sans arrêt.

— Il n'y en a plus à l'épicerie. Il faut que quelqu'un se dévoue. Il faut aller à Naples.

— Je ne peux pas vivre sans café.

— Il fait trop chaud. Je n'ai pas le courage de faire la traversée.

— Demande à Charles. Charles est le spécialiste de la traversée.

— Tu sais bien que je ne le vois plus, dit Juliette.

Magdalena Radnitzky était montée sur la chaise. À bout de bras elle rangeait les abricots dans le compotier sur la table.

— Que fais-tu, Lena?

— Je les range par ordre.

Cela pouvait prendre deux heures — au terme

desquelles les fruits étaient devenus tout mous, le plus souvent crevés, à la limite de la compote.

*

Leonhardt à Ann :

— Je vis mal sans vous. J'ai besoin de vous. J'ai besoin de votre présence plus souvent auprès de moi, à Naples, à l'appartement. J'ai besoin de vous entendre respirer près de moi quand je dors.

— Et ?

— Je vous aime.

C'était une saison à cadeaux. Les cadeaux continuaient.

C'était une bague offerte par Leo à Ann.

Que faire d'une bague quand on préfère vivre les doigts nus ?

Elle préférait nettement une dent ou un galet noir offerts par une petite fille.

*

Le sentier était si escarpé que la plupart du temps je m'efforçais de passer par l'épicerie du Corso Colonna quand je me rendais chez Ann Hidden. Je montais quelques bouteilles d'eau minérale ou quelques salades ou quelques fruits par le petit escalier de pierre puis le sol de cailloux, m'agrippant à la corde enfin devenue aussi sèche que des feuilles de bambous.

J'étais toujours le bienvenu.

Nos heures concordaient.

Plus tard je dus m'abstenir de le faire tant il faisait chaud.

*

Jamais elle ne pourrait arriver à la pharmacie de l'île. Elle avait besoin de ses médicaments. Elle tenait son parapluie ouvert pour s'abriter du soleil. L'asphalte était mou. Elle avançait péniblement. Chaque pas laissait une trace dans le goudron. Puis la rue se reformait lentement. Comme si la rue elle aussi était devenue un animal qui s'éveillait. Une espèce de jeune dragon collant. Une peau arborescente, craquillée, blanche sur le pourtour, où le liquide noir perçait.

*

On avait l'impression de vivre quatre mille ans plus tôt. La chaleur extrême était une *déesse*. Tout se taisait devant elle. Tout s'écartait soudain. Les hommes avaient peur de se trouver sur son passage. On ne sortait plus que la nuit tombée. Il n'y avait pas un souffle d'air.

CHAPITRE IV

Les orages éclatèrent. Lena hurlait sa joie dans les bras d'Ann Hidden. Ce n'étaient le plus souvent que des éclairs extraordinaires, de toutes sortes. Des arbres. Des mitrailles. De véritables déchirures où le ciel bleu si pur apparaissait. La pluie ne tombait presque pas.

La chaleur recommençait, plus terrible encore.

Ils se retrouvaient tous les jeudis — Leo, Armando, Kropotkine, Charles — chez Dio. Dio parlait comme une chaîne câblée en clair. Il était inépuisablement riche, inépuisablement épuisé, limité, illettré. Son âme, sa vocation, son objectif : le bonheur. Il entendait par là un fond de porno qui fidélise, un peu de sport, beaucoup de somnifères, énormément de gaieté.

Nous l'appelions Jovial Sénile.

Les Russes pullulaient sur l'île. Ils étaient jeunes, toniques, mafieux, fraternels, drogués, ivrognes, enfantins, musclés, agressifs.

C'étaient les grands maîtres des dernières heures de la nuit.

Ce fut dans une grosse villa de la fin du XIXe siècle entièrement occupée par les Russes que je découvris le piano. Un vrai piano de concert. Un Bösendorfer. Je fis signe à Juliette — qui était venue ce soir-là avec moi, Ann étant restée avec Leo à Naples. La petite Magdalena était repartie chez sa mère. Nous refermâmes précautionneusement la porte de la bibliothèque. Nous eûmes à cœur de ne pas blesser les amis. Nous leur aurions fait découvrir la tristesse, la pudeur, la nostalgie, la beauté, l'attente, le raffinement : aussitôt le groupe aurait implosé et nous nous serions retrouvés seuls.

Juliette m'aida à tirer la banquette jaune qui avait été placée très loin sous le piano. J'ouvris le clavier et je me mis à jouer. L'instrument était magnifique, hélas un peu étouffé par le mobilier, le volume de la pièce, les tentures.

Je n'étais plus avec Juliette, je n'étais plus à Ischia.

J'étais avec mes sœurs mortes.

J'étais à Bergheim.

*

Quand je rabattis le couvercle noir sur les touches, une heure était passée aussi vite qu'un songe. J'étais empli de désolation étrange. Le chagrin est plus ancien et presque plus pur en nous que la beauté. Je cherchai ma veste en lin puis je cherchai dans la poche de ma veste en lin mon petit téléphone portable et j'appelai Ann Hidden.

— J'ai trouvé le piano. C'est un Bösendorfer.

— Où?

— Chez les Russes.

— Quels Russes?

— Les jeunes Russes.

Ann était tout excitée. Elle me dit qu'elle ne pouvait pas venir le soir même car elle était à Naples. Ils sortaient à l'instant de chez leurs amis.

— Pardonne-moi, Ann! Je n'ai pas regardé l'heure.

Elle me demanda de venir la chercher le lendemain, que je l'appelle et que je la conduise près du piano que j'avais découvert.

Je refermai le portable. Juliette me dit :

— Je ne savais pas que tu jouais du piano. Je croyais que tu jouais du violoncelle.

— Ils nous attendent à la brasserie. Tu as vu l'heure? Luigi et sa femme nous attendent.

Il était plus de minuit. Nous les rejoignîmes. L'air était encore brûlant. Je rêvais à mes sœurs. Je les écoutais parler. Elles m'avaient appris à parler. Je pris du requin.

CHAPITRE V

Le soleil va se coucher. C'est l'heure que toutes les deux préfèrent. Tous ceux qui ont eu le courage de sortir sont rentrés chez eux. L'eau est plus calme et fraîche. Elle grimpe le long des jambes. Quand elle arrive au maillot, par pure habitude, elles se hissent toutes deux d'un même mouvement sur leurs doigts de pied.

Juliette dit :

— Appelle-moi Giulia si tu m'aimes.

— Appelle-moi Anna.

Anna et Giulia rient et parlent. Puis plongent soudain et gagnent le large.

Anna est allongée auprès de Giulia qui a ôté le haut de son maillot. Giulia se retourne pour offrir son dos au soleil qui meurt ou à la fraîcheur de l'air. Giulia glisse doucement sa main sous le ventre mouillé d'Anna.

Elle est devenue plus maigre qu'elle. Elle avait un visage très fin, un corps plus sportif, le dos large des gymnastes, le reste du corps était beaucoup plus allongé et osseux. Elle buvait beaucoup et ne mangeait pas.

Anna a des fesses toutes rondes et petites.

Giulia a des mollets de danseuse.

Giulia détestait le passé. Elle vivait dans l'instant, buvant sans cesse, ne dévoilant rien. Jamais Ann Hidden n'en sut quoi que ce soit.

*

Chacun avait son royaume : Lena quand elle était en Italie l'orage, Ann sa longue chambre qui donnait sur la mer Tyrrhénienne, Giulia le canapé et son verre de vin blanc, Armando l'atelier d'acier, Jovial Sénile les soirées de drogue, Phyllis les bancs des églises, Kropotkine la montagne, Charles chaque livre de sa bibliothèque. Ils étaient amis mais se voyaient peu. Chacun avait hâte de retourner à son royaume.

*

Je pourrais remplir de détails les mois qui suivirent. Ils furent occupés, amoureux, bâtisseurs. Je saute. Je saute. Je saute. J'arrive en mars suivant. J'arrive de nouveau dans le froid. Giulia et Ann vivaient ensemble à Ischia les trois mois où Magdalena se trouvait chez sa mère.

Les trois mois où la petite était en Italie, Giulia revenait sur Naples la semaine. Le week-end, elles regagnaient l'île.

*

Ann était devenue italienne dans les bras de Giulia.

Le désir sexuel retrouvé embellit le corps, irradie l'entourage, purifie l'air.

Elles marchaient main dans la main. Elles remontaient de la mer. Elles ne parlaient pas.

Ann portait les serviettes de plage.

Giulia tenait ses magazines absurdes. Leurs sandales traînaient dans la poussière brûlante.

Magdalena chantait dix mètres derrière elles, languissante, ruminante, trottante, bâillante.

Elles étaient toutes les trois toutes bronzées.

Même la peau de Giulia avait cessé de rougir. Elle se hâlait peu à peu.

*

Giulia était assise sur le canapé — un Chesterfield usé — les pieds déchaussés et ramassés sous les fesses, un verre de vin blanc à la main, croquant ses cacahuètes. Magdalena dit tout bas :

— Petit chat !

Un petit chat venu de la terrasse pointait la tête dans la chambre.

Ann sortit de la douche toute nue, dégoulinante, sa serviette à la main.

— Tu as vu ? dit Magdalena.

— Qu'il est beau !

Ann ouvrit plus largement la porte-fenêtre. Elle posa la serviette sur le sol et s'agenouilla devant lui.

— Tu es beau, dit-elle.

— Tu as vu la tache noire ? demanda Magdalena.

— Tu crois que c'est un signe ? lui demanda Ann.

*

Lena dormait sur le ventre de Giulia.

Elles étaient toutes les deux sur le canapé.

Giulia buvait son vin blanc, lisait ses magazines achetés Corso Colonna, mangeait ses cacahuètes pendant que Magdalena poussait de grands soupirs excédés, s'agitant dans son rêve.

Ann était assise sur le carrelage dans le coin le plus frais de la pièce, dans l'angle de la cheminée, le dos à la roche noire du volcan, une partition déroulée dans les mains.

CHAPITRE VI

Une pluie oblique et continue empêchait de voir la baie. Les habitants répugnaient à sortir de chez eux. Un matin, en remontant de la poste (la poste était située sur l'avenue qui menait au port) en microtaxi, dans le brouillard de chaleur et d'orage, je crus apercevoir le vieux pin agrippé dans la roche au-dessus de la plage qui indiquait sa maison. J'arrêtai le scooter qui me traînait.

La pluie filandreuse était si dense qu'on voyait à peine le sentier.

J'avais toujours avec moi une sabretache (une sacoche de selle à deux poches immenses) où je rangeais tout. J'écartai les livres, je cherchai mon portable. Toujours sous le petit toit en bois du microtaxi, j'appelai Ann pour m'assurer que je pouvais entreprendre l'ascension sans que cela fût en vain. Nous étions devenus amis. Quand Giulia était à Naples nous nous voyions souvent. Je lui apportais des cigarettes.

*

Le matin, nous prenions un café en silence. Puis je rentrais à pied chez moi.

*

D'autres fois — comme la Traversa Champault n'était pas carrossable — j'étais contraint de passer par la Piazza dei Pescatori. Il fallait qu'il pleuve à seaux ou que le vent vienne en rafales sur la mer pour que je ne cède pas au plaisir de m'installer sur le bord de l'eau et d'y boire une bière glacée. C'est elle qui me retrouvait là, souvent, le soir.

*

Quand Ann Hidden était perdue dans son chant, elle se tenait curieusement assise. Son corps était presque rejeté en arrière. Elle avait l'air magnifique d'une femme qui ne pense jamais à l'impression qu'elle peut produire. Il semblait alors qu'il était possible que soudain elle disparaisse, tombe, s'envole, se jette du haut des roches dans le port, plonge dans la mer.

*

C'était une femme entièrement à sa faim, à son chant, à sa marche, à sa passion, à sa nage, à son destin.

Dans ces cas-là je ne la dérangeais pas. Je me contentais de lui faire signe. Je m'asseyais deux chaises plus loin. Je commandais une bière glacée. Nous ne disions pas grand-chose. Nous pouvions ne rien dire. Pendant une heure nous regardions les pêcheurs rentrer leurs barques, les touristes rejoindre en canot leur voilier, le cercle du soleil descendre sur le castello et plus loin descendre exactement le long de la citadelle de Tibère, sur Capri.

*

— Pourquoi Éliane Hidelstein, fille d'une Bretonne catholique et d'un Juif roumain, est-elle devenue Ann Hidden ?

— Je ne sais pas.

— Pour se cacher ? Parce que les Juifs doivent se cacher ?

— Non. Je ne pense pas que les Juifs doivent se cacher et je ne pense pas non plus que se cacher les protège.

— Alors pourquoi ?

— Le premier homme avec qui j'ai vécu était alpiniste.

— Je ne vois pas le rapport.

— Il avait escaladé le Hidden Peak. Dans le fond c'est lui qui s'est amusé à transformer Hidel en Hidden. Il m'a baptisée.

— Tu l'as aimé ?

— Oui.

— Pourquoi l'as-tu quitté ?

— Pourquoi l'aurais-je quitté ? Il est mort.

Ann Hidden se comportait devant le clavier à la façon de Marcelle Meyer pour peu qu'on ait eu la chance de voir jouer cette virtuose avant sa brusque disparition. Sa main gauche était extraordinairement puissante. Mais, trichant avec les partitions, simplifiant tout jusqu'à une espèce de grande lenteur mélodique rayonnante, le résultat ne pouvait lui être comparé.

C'était incroyablement brutal.

Elle lisait la partition d'abord, loin du piano, puis la reposait. Elle allait s'asseoir devant le clavier et — soudain — donnait tout sous forme d'un brusque résumé tournoyant. Elle n'interprétait pas. Elle réimprovisait ce qu'elle avait lu, ou ce qu'elle avait bien voulu en retenir, désornant, désharmonisant, quêtant anxieusement le thème perdu, recherchant l'essence du thème, dans une harmonie minimale.

Et il arrivait même que, parfois, elle se perdît au cours de longues variations orientales qui erraient uniquement pour permettre que le thème revînt comme l'origine même et elle abandonnait alors le clavier et se levait tout de go, renfrognée, poursuivant le thème dans le silence, partait ailleurs, sortait au jardin, marchait, marchait, grimpait sur les roches. C'était une génie.

C'était une artiste — d'une certaine manière — indienne.

Parfois elle s'installait dans un hall d'hôtel — dans

un des salons de l'hôtel des Maures, ou dans un bar de Naples pour peu qu'il fût à peu près silencieux.

Elle prenait le fauteuil le plus confortable, le plus éloigné de la porte, le mieux situé pour voir les clients déboucher soudain et envahir l'espace devant elle.

C'est comme cela qu'elle triait ses idées — ou qu'elle jugeait les idées sonores au fond d'elle, ou qu'elle acceptait de surmonter ces idées. Elle testait des lignes mélodiques en silence, avant de les aimer, de les noter ou de les proscrire.

*

C'était une femme complexe.

Pour Magdalena la maîtresse des orages était une fée profonde.

Aux yeux de Leonhardt, Ann était une artiste extraordinairement recueillie, à peu près indifférente à ceux qui l'entouraient, forte, sauvage, ou du moins peu domestiquée, solitaire.

Aux yeux de Giulia c'était un grand corps doux, silencieux, sensuel, rassurant, tout d'os, de fuites, d'écarts.

Aux yeux de Georges c'était une petite fille fière, un peu hostile, toujours sur ses gardes, bouleversée par un rien, fragile, inquiète, mystérieuse.

À mes yeux c'était une musicienne géniale. Je l'ai entendue très rarement jouer. Pourtant je faisais tout pour que cela se produise.

*

Il se trouve que soudain, au fond de soi, se chantent des airs jamais entendus et que pourtant on ne compose pas. Il faut les noter aussitôt. Après, on travaille ou pas. Ces appels ne sont à personne — surtout pas à ceux qu'ils appellent (parce qu'il faut bien avouer que tous ceux qu'ils appelleraient, s'ils appelaient, sont morts).

Jan Dussek s'enfuyant avec Sophia Corri à Hambourg.

Ann Hidden s'enfuyant avec Magdalena Paulina Radnitzky à Herculanum.

*

Pour Noël, Ann acheta un chien à Lena. C'était un fox-terrier. Ann et Lena l'appelèrent Matro. Il n'avait pas le droit d'aller à Naples. Il restait sur l'île à surveiller la mer, ou le sentier, ou les abords de la terrasse.

*

À peine arrivées elles achetèrent le poisson sur le port. Puis elles remontèrent par l'avenue pour le marché. Elles achetèrent des haricots blancs (des grenots), du veau. Elles déjeunèrent sur la terrasse. Puis ce fut la sieste de Lena. Giulia dénoua ses sandales. Restant en short et en tee-shirt elle se coucha auprès d'elle.

Lena se réveille, se lève sur-le-champ, shoote dans le ventre du chien qui sommeille.

Matro s'enfuit en hurlant.

Magdalena reçoit une fessée de Giulia en retour. Elle pleure.

— Pourquoi es-tu mauvaise ? demande Giulia.

— Je ne suis pas mauvaise, dit lentement la petite.

— Si tu tapes les chiens, je te tape.

Alors Magdalena Radnitzky s'en va en pleurant tenant dans ses bras sa poupée.

Elle s'installe devant la cheminée du salon dans le coin d'Ann.

Giulia la laisse jouer à la poupée dans son coin.

Elle entoure sa dînette de bougeoirs qu'elle a pris sur la pierre d'âtre.

Elle chantonne et n'interrompt son chant que pour tenir de grands discours interminables à sa poupée.

*

Un rayon de soleil apparut.

Giulia alla s'asseoir sur l'avant-dernière marche, emmena avec elle tout son charroi du crépuscule : cacahuètes, olives, une bouteille de vin blanc glacé, des lunettes de soleil, des magazines absurdes, un tricot qu'elle ne faisait jamais.

Elle s'installa les jambes pendantes.

Elle troussa sa robe très haut et ses pieds jouèrent dans l'eau transparente de la baignoire en caoutchouc bleu de Lena.

La tête rejetée en arrière, offerte au tout premier soleil, elle se laissa bronzer.

*

Le lendemain elles trouvèrent au marché des barquettes de myrtilles.

Magdalena, les bouts des doigts tout noirs, inlavables, à cause des myrtilles du déjeuner, décida d'aller jouer sur la colline.

Giulia mit de la crème sur les lèvres de la petite gercées par le soleil nouveau.

Ann prépara le café.

*

La petite Magdalena rentra dans la maison épuisée. Elle avait passé l'heure entière à rouler le long de la pente de la colline dans les cailloux, dans l'herbe neuve, dans les restes de la paille, pour atterrir sur la terrasse en hurlant de joie. Elle était brûlante et tout égratignée. Elle dormait debout. Ann la prit dans ses bras. Elle la transporta dans le salon où Giulia faisait déjà sa sieste, entourée de son attirail de magazines idiots, de cigarettes, d'olives, de cacahuètes, de pistaches, de petites Roma, de vin blanc. Elle cala la petite entre deux oreillers.

Ann essuya son front couvert de sueur et la vit s'endormir d'un coup, sous ses yeux.

Elle les regarda dormir toutes les deux sur le canapé blanc du salon.

Elle descendit au port, attendit l'aliscaphe, monta sur la passerelle et partit à Naples rejoindre Leo.

*

Lena toute bleue.

Giulia hurlait.

Elle était dans l'encadrement de la porte-fenêtre, tenant dans ses bras la petite qui ne respirait plus.

Il y eut une autopsie. Magdalena Radnitzky était morte à l'âge de trois ans, absurdement, étouffée par une cacahuète.

L'enfant hospitalisée, autopsiée puis rapatriée chez le docteur Radnitzky.

Giulia s'enfuit.

CHAPITRE VII

Ann attendit en vain toute la nuit Giulia. Finalement elle parvint à la joindre sur son téléphone portable. Elle alla la chercher de force sur l'île, elle tenta de l'apaiser, mais Giulia ne voulut pas revenir avec elle chez Leo.

Ann reprit seule le bateau pour Naples.

Arrivée à l'appartement, le soleil se couchait.

Elle pénétra doucement dans la chambre à coucher où Leo s'était enfermé. Elle dit à Leo qu'elle allait veiller Magdalena. Elle allait passer la nuit dans la chambre de la petite. Il fit oui de la tête. Alors elle avança dans le couloir. Elle ouvrit, elle referma la porte sans rien regarder dans la chambre.

Elle était debout. Il faisait très sombre. Les volets étaient tirés.

Elle s'accroupit près du lit, tomba sur les genoux, ne leva pas les yeux, regarda soudain.

Une douleur intense monta en elle, sans que la moindre larme vînt la secourir. Elle posa sa tête près de la joue de la petite enfant.

Plus tard elle glissa sa main sous la main minuscule de la petite morte.

*

Sa douleur fut terrible. Elle n'avait aucun lien naturel avec cet enfant. Ce fut pourtant la pire douleur qui creva le tissu de sa vie. Curieusement les larmes lui manquèrent complètement. Même pas un sanglot sec. Même pas un pincement de cœur, rien.

Une douleur sans fond, sans aucun effet autre que l'insomnie.

Elle resta réveillée des jours, sans se dévêtir, sans se coucher, sans changer de vêtements ni se laver.

Même le chien Matro se tenait à distance d'elle, restant dans l'ombre, il faisait si chaud, la tête pleine d'inquiétude.

On enterra Magdalena sans que Giulia fût présente.

*

Ann Hidden n'avait pas pu atteindre la seconde terrasse. Elle était assise par terre, à l'ombre, adossée contre le mur brûlant de la cabane de l'âne. Elle regardait la bouteille d'eau vide qui était devant elle.

Sur la surface verte et bombée du verre de la bouteille elle voyait son reflet déformé.

Elle voyait une vieille femme qui dégoulinait de sueur.

Elle percevait des longs cheveux blancs qui pendaient et luisaient. Elle avait l'air soûle alors qu'elle ne buvait que de l'eau minérale depuis dix jours qu'elle reversait dans des bouteilles en verre pour qu'elle fût plus fraîche en les sortant du réfrigérateur. Elle ferma les yeux. Elle s'endormit. Elle rêva. Elle pleura en rêve. Ce sont ses propres larmes coulant enfin sur son visage qui la réveillèrent dans le sentier abrupt.

*

Giulia ne la prenait plus au téléphone.

On ne savait pas au juste où vivait et où dormait Giulia.

Même ses proches — ses anciens proches — ignoraient où elle avait pu se terrer.

*

Dans l'appartement de Naples, Ann se rhabillait. Elle cherchait ses socquettes par terre. Elle en ramassa une au pied du fauteuil.

. Elle entendit derrière elle la voix de Leo toute déchirée. Ce n'était pas sa voix habituelle. C'était une grosse voix d'enfant qui résonnait derrière elle :

— Ne vous rhabillez pas !

Elle se retourna juste pour voir. Il pleurait en effet. Il tripotait comme un enfant le drap du dessus. Il s'essuya les yeux dans le drap.

Il s'assit contre l'oreiller.

229

— Vous ne pouvez plus partir comme cela. Je ne peux plus vous voir partir. Je ne supporte plus de vous voir vous habiller dans l'aube et partir rejoindre votre île.

— Oui.

— Je suis si seul.

— Je sais.

Elle enfila sa culotte. Elle boutonna son jean. Il dit tout bas :

— Ann ?

— Oui.

— Partons.

Elle ne répondit pas. Puis :

— Oui.

Puis :

— Peut-être.

Il reprit :

— On prend le bateau.

— Oui.

— Partons comme des voleurs.

— Oui.

— On monte dans le ferry. On fonce à l'aéroport. On arrive où vous le souhaiterez. Je rachète tout. Je vous habille de nouveau.

— Vous me rhabillez, dit-elle en finissant de reboutonner son chemisier.

— Aujourd'hui même. On se donne juste l'après-midi. On se retrouve à l'embarcadère à huit heures, devant le marchand de billets.

Elle s'assit sur le bord du lit et noua les lacets de ses baskets blanches.

— Non, dit-elle enfin.

— Mais pourquoi ?

— Car on aura le même souvenir partout. Chaque fois le visage de l'autre ranimera sa souffrance. Désirez-vous savoir ce que je pense ?

— Surtout pas.

Il avait enfoui sa tête sous le drap.

Elle dit cependant :

— Je pense que non seulement il ne faut pas partir ensemble. Je pense que non seulement il ne faut pas que nous vivions ensemble...

Il cria de sous son drap :

— Ann, ne dites pas ce que vous vous apprêtez à dire !

— Je pense qu'il faut nous quitter.

Elle alla vers le lit. Alors elle embrassa la tête cachée sous le drap. Elle partit. Arrivée à la porte d'entrée elle l'entendait qui pleurait encore. Elle laissa les clés de l'appartement sur le marbre de la commode.

CHAPITRE VIII

Un pêcheur lui prit la main et elle sauta dans son canot à moteur. Elle débarqua au sud de Procida. Le docteur Radnitzky l'avait invitée à déjeuner dans une gargote de Procida.

Elle avala une feuille de salade.

Leo commença par lui dire :

— Il faut manger.

Ils étaient assis l'un en face de l'autre à une table.

— Je me force à manger.

Elle mangea une autre feuille de roquette.

— Merci, Ann. Il est nécessaire que vous mangiez. Moi je ne comprends pas pourquoi je mange tellement alors que...

— On peut parler d'autre chose ?

— Pourquoi ? Je parle, froidement, *techniquement*, de ce qui nous occupe. Au début j'étais votre médecin.

— Je crois que je vais quitter cette île.

— Et alors ? Raison de plus pour avoir des muscles pour pouvoir porter une valise. Raison de plus pour avoir des cuisses pour pouvoir avancer dans les rues !

Elle n'osait pas parler de sa propre douleur auprès de lui.

— Vous ne devinez pas, Leo, comme j'en ai assez de ma propre bougeotte. J'en ai assez de moi.

Devant eux un vieil homme disposa une vieille porte d'armoire en acajou sur des tréteaux. Il versa un grand panier de pommes, des légumes, des citrons, deux poulets tout nus.

Un carabinier passa.

— Je pense toujours que nous devrions nous installer dans le même lieu. Nous devrions nous marier. Il faut vivre ensemble, murmura-t-il.

Elle lui prit la main.

— Vous êtes cassé. Je suis cassée. Il ne faut pas compter sur du cassé pour réparer du cassé. Il faut oublier tout ça...

— Oublier tout ça..., dit-il en ricanant.

Il chuchota encore :

— Pourtant tu aimais bien la petite...

Alors elle ne put plus se retenir. Elle s'effondra en sanglots pour la première fois devant lui.

*

Puis il irradia la détresse.

Il s'approcha de la mort.

Il buvait trop.

Il explosa soudain en intolérances, en plaintes, en violences, en injustices.

*

Il ne se souvenait plus du corps de son enfant dans la mort. Il mendiait des détails. Avait-elle des blessures ou des ecchymoses ? Était-elle aussi jolie qu'elle avait été ? Sa bouche était-elle ouverte ? Criait-elle au moment de la mort ? Il voulait en savoir plus sur ce qu'il n'avait su regarder vraiment.

*

Quand l'événement se réduit à son épreuve, aucune consolation ne console.

Aucun alcool, drogue, café, tabac, chimie, somnifère, n'apporte son aide.

Il faut que l'âme se tourne vers la souffrance, il est pour ainsi dire nécessaire qu'elle la subisse front à front, lui offre son temps, son abîme, sa détresse. Il faut qu'elle l'attire hors du corps. Il faut qu'elle la nourrisse d'autre chose que de soi. Il faut la tenter, lui lancer un appât, sacrifier un objet vers elle comme s'il s'agissait d'un être.

Ann Hidden décida de sacrifier la villa sur la mer.

*

Quelquefois le chagrin n'est guéri par aucun moyen. Le temps qui passe l'amplifie.

*

Elle aimait Giulia.

J'appris que Giulia vivait dans un appartement à Naples. Elle donnait des conférences pour les touristes. Je la conduisis un soir chez Giulia.

Mais Giulia ne se remit pas avec Ann Hidden.

Elles ne se touchaient plus. Elles ne se parlaient plus. Elles ne dormaient pas ensemble. Elles ne mangeaient plus.

Elles buvaient.

Elles se regardaient. Giulia prit le visage d'Ann entre ses paumes.

Ann regardait avec adoration ses lèvres, ses seins. Elle les prenait entre ses mains. Elle les regardait avant de poser sur eux sa joue.

— Adieu.

*

Giulia quitta l'île. Giulia ne lui donna plus jamais aucun signe de vie. Elle ne répondait à aucun de ses appels sur son portable. À aucune lettre qu'Ann lui adressa. Elle ne vint jamais à Teilly.

CHAPITRE IX

Sur la tombe de la petite Magdalena Paulina Radnitzky à Naples.

Ann s'y rendait seule et rêvait.

C'était une même image apaisante, douce, récurrente.

La scène était à peu près toujours la même : le soir, elles prenaient leur bain avant le dîner.

Elles étaient si belles, toutes les trois autour de la table, devant leur assiette, toutes propres, toutes roses, leurs cheveux mouillés, les vestes de pyjama toutes propres.

Plus rarement c'était une autre image : à midi toutes trois encore elles déjeunaient d'une salade dans le petit bar de bois vermoulu. Il s'avançait sur ses pilotis branlants dans la mer Tyrrhénienne.

*

Georges Roehl était heureux. Il reposa le combiné de téléphone. Elle revenait.

Durant l'après-midi il fit le ménage de la hutte-

Gumpendorf comme l'eût fait Monsieur Delaure :
serpillière, éponges, eau de Javel, toutes fenêtres
ouvertes.

*

Ann au téléphone, à Georges :

— Quand j'ai vu pour la dernière fois le père de
la petite Magdalena et que je lui ai dit que j'allais
abandonner la location de la villa et quitter l'île, je
ne dis pas que j'ai vu dans ses yeux de la joie mais,
comment dire, une hostilité qui approchait de la
joie.

Il avait l'air à la fois de me haïr et d'être intensé-
ment soulagé. Il était satisfait qu'il n'y eût plus
auprès de lui de témoin de sa douleur. Très satisfait.

Peut-être était-il si malheureux qu'il ne pouvait
plus qu'être seul.

Peut-être une espèce de lâcheté.

Il en avait assez d'être un amateur de drames,
d'insomnies, d'opéras, d'être un époux abandonné,
d'être le père d'une petite morte, d'être l'amant problématique d'une femme qui aimait plus cette petite
enfant que lui-même.

« Je l'avais deviné depuis longtemps. C'était elle
que vous avez aimée en m'aimant. Ça crevait les
yeux. Je l'avais compris tout de suite. Moi, vous ne
m'aimiez pas. »

*

Elle alla rendre visite à la vieille paysanne de San Angelo. Elle évoqua en quelques mots la mort de la petite.

Amalia ne dit rien.

Ann lui confia le chien Matro qu'elle avait amené avec elle.

Amalia inclina la tête en soupirant.

Ann lui dit doucement qu'elle allait quitter l'île. Elle posa un jeu de clés sur la table.

La vieille femme détourna la tête et, là non plus, ne fit aucun commentaire.

Après, elles burent un peu d'alcool de citron. Elles se parlèrent longtemps de leurs enfances réciproques dans des petits villages qui étaient aussi, pour moitié, des ports.

Ann disait :

— Je n'ai jamais su comment maman pouvait vivre là l'hiver. La maison avait été construite par mon grand-père maternel...

— Pour sa sœur ?

— Non, pour lui-même, à la limite des dunes. Cela commence par trois lampadaires qui éclairent un chemin de goudron toujours couvert de sable. Dès qu'on arrive au dernier lampadaire la nuit engloutit tout. C'est le bruit des vagues qui me guidait quand j'étais petite. En hiver. Quand le ciel n'était qu'un nuage. Vous devez connaître cela aussi ?

— Oui, ma fille, dit Amalia. Cette île est souvent entièrement contenue dans un nuage.

— Petite, je me souviens que je m'aidais du cris-

238

sement de mes pas sur le sable de la chaussée pour
ne pas m'égarer dans la nuit.

— Ah !

— Dès que le son s'efface et que mon pied pèse
sur l'herbe molle, dès qu'il enfonce le sable humide,
c'est la preuve que j'ai quitté la petite route qui me
conduit chez moi. Il fait nuit. Je me remets à
l'oreille sur la route.

— Ma petite, je vous aime bien.

Le potager devant elles n'était que poussière. Il y
avait quelques branchages hirsutes et nus. La plupart des plantes avaient brûlé le mois précédent.

CHAPITRE X

Les cartons remplis de livres et de partitions étaient déjà entassés dans la salle, devant la cheminée. J'entrai dans la cuisine.

— Ann !

Elle retournait des aubergines toutes noires au fond d'une cocotte en fonte.

Elle tourna la tête vers moi.

— Oui ? murmura-t-elle.

Mais elle vit mon regard.

— Charles, qu'est-ce qu'il y a ? demanda-t-elle en criant.

Elle avait tout pressenti. Elle était soudain devenue agressive. Ses yeux s'agrandissaient. Elle posa brusquement la cuiller en bois sur la gazinière.

Je la pris dans mes bras en lui disant :

— C'est ta maman.

Comme un élastique se détend tout à coup, elle quitta mes bras, la cuisine, le jardin, filant à toute allure vers la colline.

Au bout d'un certain temps je cessai de la poursuivre dans les broussailles.

Je revins vers la maison.

Avant même d'y entrer je perçus l'odeur épouvantable de brûlé.

Je posai dans l'évier la ratatouille entièrement brûlée dans la cocotte.

*

Le fax était resté sur la table de la cuisine.

Il avait été adressé à l'hôtel des Maures.

C'étaient deux grosses lignes au feutre noir : *Ta Maman est morte doucement hier jeudi dans la soirée. Véronique.*

L'en-tête mentionnait le numéro de fax de la pharmacie.

*

La terrasse est remplie de grands pots en terre cuite qui sont vides. Elle est assise devant la mer.

Elle est entrée dans la petite église du port d'Ischia. Elle est assise sur une chaise de paille devant la petite grille basse et noire en fer forgé qui sépare du chœur.

Elle prend le bateau. Elle se tient assise sur le banc de bois sur le pont.

Elle passe devant Sancio Cattolico, l'Averne, le Pausilippe, la via Partenope.

Elle passe devant les villas sur la mer allumées dans la nuit.

Elle est assise dans la petite église bretonne. Elle

se met à genoux sur le prie-Dieu extraordinairement dur. Il est en bois plein.

Elle pose les mains sur ses poignets.

Puis elle posa sa tête sur ses mains.

Elle songe.

Elle songea.

Elle rêva à sa mère puis surgirent inopinément bien des choses qui ne la concernaient pas. Elle rêva à ses rêves, à Giulia, à sa vie sur l'île, à sa vie de nouveau solitaire.

Elle pria pour Magdalena Radnitzky et pour Marthe Hidelstein couchées l'une à côté de l'autre chez les morts.

*

Véri est debout devant elle, criante, méchante, offensante, véhémente :

— Elle a eu une attaque quinze jours plus tôt !

— Tu aurais pu m'appeler !

— Elle n'a pas voulu que tu sois prévenue ! Elle ne pouvait plus parler.

— Alors comment a-t-elle pu te dire qu'il ne fallait pas me prévenir ?

— Arrête, s'il te plaît. Ta maman parlait très mal. Tu sais...

Elle donnait le sentiment d'être sur le point d'exploser. Elle levait ses yeux, hagarde, contemplant le plafond, comprimant ses pauvres lèvres déformées...

— Ne me dis pas.

— Comme si elle allait pousser un cri, crier un nom, mais rien ne venait...

— Ne me dis pas, Véri, ne me dis pas. Merci, merci pour tout.

Elle se tut.

Plus tard elle saisit les mains de Véri. Elle lui dit tout bas :

— En fait, je suis exactement comme Leo pour Lena. Je ne veux pas savoir.

*

Elle alla à la maison de retraite saluer les deux infirmières qui s'étaient relayées auprès de sa mère dans les ultimes moments de sa vie.

L'infirmière de jour lui dit la même chose que son amie pharmacienne.

— C'est mieux ainsi. Votre mère voulait mourir. Elle restait le menton en l'air, le regard plein d'horreur.

Elle alla saluer l'infirmière de nuit qui — Dieu merci — ne lui dit rien et l'embrassa.

Arrivée devant l'hôtel du port, elle tomba sur Georges tout désemparé : il avait surmonté ses peurs. Il avait eu le courage de venir en Bretagne pour l'enterrement.

C'était un squelette. Il était habillé avec soin, en noir, son chapeau en cuir noir.

— Va rechercher tes affaires, lui ordonna-t-elle.

— Non.

— Viens coucher à la maison, lui dit-elle.

— Non. Tu ne peux pas savoir. Je suis dans tous mes états de me retrouver ici, au village.

— Viens.

Il faisait non avec la tête en pleurant doucement.

Ann Hidden s'approcha de lui. Prenant sa main elle murmura :

— Mon ami, maintenant j'ai besoin de toi.

Il alla chercher son sac de voyage.

*

— Thomas est venu pour l'enterrement.

— Prévenu par qui ?

— Par moi, dit Véri. Il a vécu avec moi. Quand tu es partie il est venu plusieurs fois. Ce n'était pas vraiment sexuel...

— Mais un peu quand même...

— Il venait pleurer.

— Je m'en doutais.

— Tu m'en veux ?

— Je te plains.

— À vrai dire je me plains moi-même.

*

Les galets sont gris foncé. L'eau qui les dégage du sable et qui les brasse est jaune. La nuit tombe. La mer continue de se mouvoir et de hurler sans finir. Elle ferme les volets des fenêtres qui donnent sur la plage.

Elle descend. Elle va embrasser Georges en bas.

Il est dans le salon. Il s'est couché dans le lit de sa mère. Il regarde la télévision.

— C'est bien ?

— Nul à souhait.

Il boit un verre de whisky. Il s'est installé, bien au chaud, sous les couvertures. Il est en pyjama. Il rit.

— Bon courage, lui dit-il.

*

La nuit est tombée.

Elle quitte la maison, en bottes, à pied, grand ciré jaune, une grande écharpe en mohair tricotée autrefois par Madame Hidelstein.

Elle rejoint le port par le front de mer.

Elle se dirige vers le restaurant.

Le vent est vif. Il tournoie à toute allure autour de ses jambes.

Elle le voit au loin sur le quai. Il est déjà là, dans la nuit, faisant les cent pas.

Les bateaux, sans lumières, s'entrechoquent.

Ils ne s'embrassent pas. Elle le précède. Elle pense en marchant devant lui : « Je suis avec cet homme qui s'est brusquement éteint à l'intérieur de mon cerveau un jour de janvier à Choisy-le-Roi. » Mais elle dit :

— Tu aurais dû entrer dans le restaurant. Il fait froid.

— Je ne savais pas ce que tu voulais...

— Tu peux aussi tout simplement vouloir.

Ils s'installent près de la vitre. Il ne lui demande

245

pas ce qu'elle veut prendre. Il commande pour lui des bulots et une sole. Il demande du cidre.

Elle choisit un tourteau et des étrilles. Elle veut boire du vin blanc.

Il lui a dit qu'il voulait parler.

Il parla.

Ce ne fut qu'une longue plainte qu'elle laissa bourdonner auprès d'elle.

Elle n'opposa pour ainsi dire rien à ce bourdon.

Elle pensa : Avait-il jamais désiré qu'elle ouvrît la bouche ? Qu'elle pensât ? Qu'elle vécût ? Qu'elle nommât quelque chose ?

Thomas disait :

— Pas un mot sur mon portable. Ton portable était injoignable. À part un coliposte à mon bureau, rien. Même mon blouson de cuir, même mon manteau, mes costumes, mes chemises, disparus. Plus rien. Je n'aurais jamais cru qu'on puisse agir comme tu l'as fait. Tout ce que nous avions vécu ensemble ne signifiait rien. Rien. Une fumée dans le ciel. Je ne puis te dire combien c'est humiliant... Quand j'ai ouvert le coliposte : pas de lettre de toi. C'est cela qui a commencé à me détruire. J'ai voulu travailler mais je n'ai pas pu. Je suis allé à ton bureau. Quand Roland m'a dit que tu ne travaillais plus depuis début janvier alors j'ai aussitôt compris que tout était perdu. Je suis allé me soûler. Rends-toi compte : tu ne comptes plus. Tu n'as jamais compté. Tu n'as pas existé. Tu es comme un poisson sur la berge. Tu suffoques sans comprendre. C'est très cruel car tu n'expires pas immédiatement.

Chaque jour je crevais un peu plus dans le vide. Chaque heure devant moi j'étais un peu plus à court d'air. Chaque nuit l'angoisse était plus forte. Tout, la maison, la femme que j'aimais depuis plus de seize ans, l'avenir que j'avais imaginé sans m'en rendre compte, les habitudes, les soirées, plus rien n'existait... Aucune trace n'apportait la preuve que cela avait pu exister... Je ne pouvais pas me plaindre légalement. Je payais la femme de ménage, je payais les courses, je payais les livraisons, je payais les voyages. Quand j'étais arrivé dans ta vie la maison était déjà à toi.

Thomas appréciait sa récrimination.

Ann suçait les pattes de ses étrilles.

Elle pensait : « Il a dû faire une psychanalyse pour adorer à ce point se souvenir. »

Il semblait revivre en revivant sa vie.

Il mimait.

— Je veux faire entrer la clé dans la serrure. La clé n'est pas la bonne. J'essaie une nouvelle fois. Impossible. Je baisse les yeux : la serrure est neuve. Je crois que je deviens fou. Je recule sur le trottoir. Je descends sur la chaussée. Je regarde la maison. C'est bien la nôtre. Je vais chercher le serrurier d'à côté. « Mais la serrure est neuve, monsieur. C'est moi qui l'ai posée. — Ah ! — Pourquoi ? Cette maison n'appartient pas à la femme qui vivait là depuis des années ? — Si. Bien sûr. C'est à elle. Mais c'est là où je vis... — Non, monsieur, je ne peux pas forcer une serrure que je viens de poser. » J'ai sonné à côté. J'ai demandé : « La maison a été déménagée ?

— Oui, monsieur, la maison a été déménagée.
— Durant le week-end ? — Non, monsieur, toute la semaine dernière. Votre *dame* était là. Ç'a été un remue-ménage de tous les diables. Les nouveaux propriétaires sont déjà venus nous faire une petite visite de bon voisinage. Ils sont de Bruxelles... »

Ann s'était tournée vers la fenêtre.

Elle buvait doucement son vin en regardant le port, les mâts, les villas dans la nuit.

— J'ai vécu des mois pénibles. Je m'étais installé dans une chambre d'hôtel qui était confortable mais que j'exécrais. Je faisais tout pour ne pas y remonter le soir. Je buvais. J'étais effrayé par ma vie, par toi, par toutes les femmes, par l'abandon, par moi aussi un peu.

Elle cessa de regarder le port. Elle le regarda.

— Un peu, dit-elle.

— J'étais sûr que tu n'étais pas partie avec un autre homme et c'était peut-être cela, au fond de moi, la sensation la pire. J'errais dans les rues vides, entièrement vides, passé deux heures du matin. Au travail je me débrouillais car je connaissais par cœur mes clients mais mon apparence me trahissait. Mon élocution se mit elle aussi, peu à peu, à témoigner contre moi, à force de pleurer et de boire.

— À force de boire, dit-elle.

Alors elle finit la bouteille de vin blanc qu'elle avait commandée.

— Mais on ne pouvait me mettre à la porte pour des raisons de prononciation difficile ou de visage las. C'est moi-même qui ai désiré partir pour

Londres pour ne plus voir Paris. Nous négociâmes. Voilà.

— Voilà. Et Véri ? demanda alors Ann Hidden.

Il commença de nouveau à se justifier. Elle se leva. Elle rentra lentement par le bord de mer.

CHAPITRE XI

— Je n'étais pas revenu ici depuis l'âge de neuf ans, Véri.

Georges redécouvrait la Bretagne au bout de près de quarante années d'absence.

— C'est le pays qui t'a donné le jour!

Il était en train de poser délicatement ses vêtements noirs sur les galets.

Il conserva son slip.

Il descendit en tremblant de froid dans les vagues.

— Allez Véri! Allez Ann!

— C'est de la folie, murmura Véronique. Il va mourir! Je n'irai pas.

— Cela fait quarante ans. C'est la dernière fois, Éliane!

— C'est une folie, Georges!

— Cela peut bien être une folie. Tu es bien peureuse pour une fille qui aime l'eau.

Il était affreusement maigre. Il avançait dans les vagues. Il tremblait de froid dans l'écume qui se projetait sur lui dans le vent. Il se tourna vers Ann. Il la supplia.

— Allez ! Viens !

— Il fait trop froid, répétait Véri. Arrêtez vos bêtises.

Son effort était si absurde qu'Ann se déshabilla à son tour.

— Retire ton soutien-gorge !

Elle retira son soutien-gorge. Elle resta en culotte de coton. Il lui tendit la main pour entrer dans l'eau. Ils avaient six ans en effet. Il fit trois brasses et sortit presque aussitôt. Elle nagea plus longtemps qu'elle ne l'aurait cru. L'eau n'était pas si glacée qu'elle l'avait imaginé.

*

Ils avaient pris une douche. Véri les attendait dans le salon. Ann décrivait le dîner si inutile de la veille. Georges lui dit :

— Si vous aviez eu un enfant vous seriez encore ensemble.

— Sans doute, lui dit-elle.

— Plus enchaînés, dit Véri.

— Plus malheureux, dit Ann.

— Peut-être pas, soutint Véri. Les enfants transforment les femmes et les hommes qui croient les faire.

— Plus sociaux en tout cas, dit Georges.

— Plus désabusés, murmura Ann.

— Mais est-ce possible ? murmura à son tour Véri.

— Moins profonds, moins fiers, dit Georges.

— Certainement.

Elle ne put se mettre debout. Elle resta assise, au premier rang, durant tout le service funèbre. Le prêtre prononçait des phrases creuses et pacifiantes qui la choquaient.

Elle resta les yeux fermés.

Il y eut un premier défilé de condoléances, après le service, sous le porche de l'église.

Sa mère avait demandé à être enterrée à quarante kilomètres de là, dans le caveau de sa propre mère, dans le village de sa mère.

*

Elle sentit l'odeur si fade de la terre retournée. Elle était ramassée en tas, sur le bord de la vieille tombe ouverte, près de la pierre.

Ce fut de nouveau une procession. Mais beaucoup moins nombreuse.

C'était un petit enclos breton qui entourait la chapelle, et que la route nationale longeait.

Les camions de lait et de légumes passaient en faisant un grand bruit, rétrogradant pour négocier le virage.

Elle jeta la terre. Ce fut un second défilé de condoléances.

Le curé s'approcha d'elle. Il lui montra avec la main une voiture luxueuse qui s'était arrêtée le long de la nationale.

Quelqu'un voulait lui parler.

— Qui est-ce? demanda-t-elle.

Mais soudain elle devina. Elle manqua tomber tout à coup. Elle ne se retourna pas.

— Je ne veux pas, dit-elle. Dites-lui que je ne veux pas.

*

Elle ne put s'empêcher de se retourner. Elle aperçut le vieil homme qui s'avançait vers elle en s'aidant d'une canne, en tremblotant sur ses jambes. Lui tournant le dos, elle se mit à courir. Elle quitta le cimetière en hurlant.

QUATRIÈME PARTIE

CHAPITRE PREMIER

Il était tout petit. Il avait plus de quatre-vingt-dix ans. Il avait une tête de petite pomme ratatinée. Ses cheveux étaient tout blancs. Ils étaient coiffés en arrière, gominés mais coupés trop court, un peu hirsutes. Des yeux pâles. Il parlait sèchement. Il ne voulait pas aller au village. Il ne voulait pas revoir la maison sur la plage.

Un pêcheur vendait des langoustes sur le quai.

— Allez, viens, ma fille. J'ai faim. Moi, j'adore la langouste.

Ils allèrent dans un café qui ne se trouvait pas bien loin du pêcheur. La salle était très bruyante. Ils se mirent dans un coin, près du billard.

Il commença par manger sa langouste avec une incroyable avidité.

— Pourquoi n'as-tu pas conservé mon nom ?

Elle fait un geste d'impuissance.

— Tu sais, il y a des pièces de toi qui sont très belles, dit-il aussitôt.

Elle pleure.

— Papa, je me suis souvent demandé, tu t'es battu pendant la guerre ?

Il prit son verre. Il but tout le vin de Loire qu'il contenait.

— Non. Ils étaient tous antisémites : les communistes, les résistants, les fascistes, les royalistes. Je me suis caché. Je n'avais qu'une idée en tête, c'était de partir. S'en sortir c'est partir. Toute ma vie je fus ainsi. Je suis ainsi. Je m'enfuis.

— Je sais.

— Pourquoi dis-tu cela ?

— Parce que je m'enfuis toujours comme toi tu t'enfuis.

— Oui, je me suis enfui. Je voulais vivre encore un peu. La musique permet de mangeotter partout. Il y a toujours des funérailles et des noces. Moi je fais de la muzak. Toi, tu fais de la musique.

— Ce n'est pas vrai !

— C'est vrai. Mais peu importe si on songe au résultat final. Les musiciens comme toi ou moi peuvent mendier des sous accroupis sur n'importe quel pont de la terre.

*

— Est-ce que je peux te prendre une de tes cigarettes ?

— Oui.

Il lui prit une Lucky. Il dit :

— Je ne me suis jamais sorti de dépression qu'à l'aide des choses de tous les jours. Dans ma vie

258

seul le remplissement des heures à l'aide d'un travail minutieux m'a tenu à flot à peu près. Et quand
je dis le remplissement des heures, je me vante.
C'est demi-heure par demi-heure que j'affronte le
temps !

— Alors je suis vraiment ta fille.

— Tu serais vraiment ma fille si tu étais aussi
seule que je l'ai toujours été.

— Et qu'est-ce qui te fait croire que je ne suis
pas aussi seule que tu prétends l'avoir été ?
Qu'est-ce que tu sais de moi ? Tu n'as jamais voulu
le savoir.

— Ne crie pas ! Je déteste cela !

— Je fais ce que je veux. Je crie si je veux. Je dis
que tu aurais dû rester. Tu pouvais rester. Tu aurais
pu rester. Tu aurais au moins pu faire signe. Faire
comme tout le monde. Ne pas laisser maman sans
nouvelles. Envoyer une carte à Noël ! Ou à Thanks-
giving ! Ou à Rosh ha-Shana !

— Tu te souviens de Rosh ha-Shana ?

Elle ne répondit pas.

— Je veux dire : faire comme les gens normaux !

— Non. Non. Ce que tu dis n'est pas vrai. Je n'ai
jamais connu dans la vie des gens normaux, ma
fille.

— Tu dis trop « ma fille » à quelqu'un que tu
n'as jamais vu.

Il recommença :

— Il n'y a pas d'amour du tout. Il n'y a pas
d'existence normale.

— Cela, je peux l'entendre.

— *Ma fille*, tu en as encore des choses à entendre.

Mais ses oreilles bourdonnaient étrangement. Plus rien n'entrait en elle. Même, c'était comme si elle remâchait une douleur qui n'était encore jamais apparue au fond de son corps.

*

Ils marchent sur la digue.

— Tu vois, je suis vieux mais je marche. J'ai toujours marché beaucoup. J'aime marcher longtemps chaque jour. Quand je marche, les souvenirs les plus anciens reviennent. Car j'ai connu un peu le bonheur tout petit.

— Pas moi.

— J'avais des grands-parents silencieux et beaux. Je marche pour les rejoindre sans doute. Cela va être de plus en plus difficile.

— Comme toi, chaque matin, je marche beaucoup, chaque jour, tous les jours.

— Je marche mais je vois rarement ce qui m'entoure. Je vois sans cesse les lieux perdus. Je vois le lycée. Je vois un peu la carte de géographie en couleurs mais je vois surtout les deux cabanes de bois des cabinets dans la cour de récréation, leur trou suffocant. En arrivant on mettait les manteaux près du poêle sur un perroquet en fer. Cela sentait la pluie, la laine mouillée, la craie, la poussière, l'encre fade, la transpiration très aigre des jeunes garçons. Ils sont tous morts, ceux qui étaient dans ma classe. J'ai fait les recherches sur le computer. C'est pourquoi je suis ici. On est deux à avoir survécu. Lui et moi. Oui, il faut te dire : je suis ici pour lui. Je ne suis pas venu pour toi, tu imagines.

— Je l'imagine.

— Je n'ai jamais quitté ce temps. J'ai fui mais je n'ai jamais quitté cette terre impossible. On travaillait avec un châle.

— Je ne suis jamais née alors ?

— Tu es née mais je n'ai pas vraiment pu survivre à ta naissance ni à la mort de ton frère.

— Papa, tais-toi. Je crois que tu me fais du mal.

— Alors j'arrête. Ce n'est pas ce que je cherche. Bonsoir, ma fille. Allons nous coucher.

Elle demande timidement :

— Tu ne veux vraiment pas coucher à la maison ?

— Pas question. Je déteste cette maison. Je rentre à mon hôtel.

— C'est quoi, ce que tu cherches ?

— T'apprendre quelque chose d'utile maintenant que ta mère est morte.

*

Dans sa chambre d'hôtel :

— Le soir, en Bretagne, devant la mer, je rentrais le plus tard possible. Mon épouse catholique était toujours encolérée. Tu criais tout le temps. Ton frère, le pauvre petit, vagissait dans son berceau, tout énervé par l'iode. Il tendait les mains à n'importe quelle heure de la nuit en gémissant pour que je le prenne dans mes bras. Par malchance pour lui il avait une odeur épouvantable et puis je suis trop musicien et puis je suis juif, je ne supporte pas les cris. Pour moi, les cris, c'est là-bas. C'est la guerre. Cette ville bretonne était si petite, si catholique, si méfiante, si épiante, si surveillante. Il n'y avait personne pour moi. Ta mère, toi, ton petit frère, vous ne pouviez remplir ce vide. Vous étiez trop vivants dans un certain sens.

— Tu te rends compte de ce que tu dis ?

— Je me rends parfaitement compte de ce que je te dis. Le pire, tu vois, serait de te mentir, de faire comme si j'étais parti pour m'enrichir en Amérique ou pour me couler entre les bras d'une autre femme. C'est vrai que je vis à Los Angeles, que je suis riche, que je fais de la muzik-muzak-muzok, que maintenant que ta mère est partie je vais pouvoir me remarier mais, en ce temps-là, les morts — comprends-moi, je parle des vrais morts —, je les avais affreusement trahis en épousant ta mère. Ce n'était pas sa faute. J'avais grâce à elle des papiers. Je vivais. J'avais chaud. Je mangeais. J'enseignais la musique. Je luttais contre le vent sur ma bicyclette, la casquette enfoncée jusqu'aux yeux, pour donner de-ci, de-là des cours de piano aux Bretons. Et tout le monde criait sur moi.

— Papa, Nicolas était un bébé, moi j'étais une enfant.

— C'est cela. Nicolas étais un bébé. Tu étais une enfant. Ta mère était une épouse bretonne priante, pleurnicharde, très gentille, très bonne cuisinière, très catholique. C'est exactement cela.

— Et alors?

— Et alors ce n'est pas un bébé, ou une enfant, ou une larmoierie catholique, ni une très bonne cuisinière dont j'avais besoin.

*

Dans le hall :

— Tu vois, je crois qu'on ne remplit pas le vide avec des plaintes. Je comprends que tu interrompes si soudain toutes tes pièces.

Il se tut.

— Tu sais. Je t'admire. C'est une photo de toi qui m'a tout révélé. J'achète ce que tu fais. J'admire surtout le deuxième disque que tu as enregistré.

— Tu aurais pu me le dire. Faire un signe.

— Non, non...

— Arrête de parler. Laisse-moi pleurer un bon coup.

— Alors tu vois, tu es bien française ! Tu es bien la fille de ta mère ! Tu es bien catholique ! Tu pleures des bons coups !

Elle rit.

CHAPITRE II

La mer était toujours bruyante, verte, violente. Ils étaient revenus dans le quatre-quatre de Véri. Le vent avait fait tomber toutes les chaises dans l'arrière-cour de la pharmacie et les avait poussées contre la porte du garage. Ils avaient dîné rapidement (raie froide, salade de cresson). Véri les avait raccompagnés en voiture.

Georges avait prétendu qu'il n'avait jamais vu des vagues d'une telle hauteur se rompre sur le sable noir.

— C'est que tu n'as pas de mémoire, lui dit Véri.

— Georges a de moins en moins de mémoire, dit Ann.

Les vagues de l'océan franchissaient l'escalier d'un bond, montaient dans le jardin. Elles entouraient les pieds des hortensias. Elles venaient lécher le crépi de la façade de la maison.

Les pieds dans ses bottes, Ann contemplait cette maison très vaste qu'elle avait décidé de mettre en vente sur-le-champ par le biais de Véri. Comment sa mère avait-elle pu supporter toute sa vie, seule, toutes ces chambres, toute cette violence du vent et de la mer, toutes ces tâches impossibles ?

Pendant ce temps-là, aux États-Unis, dans la ville de Los Angeles, son père attendait paisiblement après sa mort pour se remarier.

Dans cette immense villa elles avaient été si malheureuses, si seules.

*

Elle se retourna une dernière fois pour contempler la mer violente prise dans le lin brodé des rideaux des fenêtres.

Brodés un à un par sa mère dans la solitude.

Elle ouvrit les battants de la fenêtre.

Le bruit assourdissant de l'océan envahit le salon.

Sa mère avait vécu dans le bruit sans fin de l'océan toute sa vie. Sa vie de mère abandonnée par son petit garçon. Sa vie de femme délaissée par son époux. Et tout le restant de ses jours tenue éloignée de sa fille.

Ann, angoissée, regardait les pieds des hortensias dans les restes d'écume, le grand escalier qui descendait en tournant sur la plage.

Les vagues de la nuit avaient rendu les marches toutes luisantes en se retirant.

Le sable était devenu aussi marron que les feuilles des arbres.

*

Loin devant les villas sur la digue, elle se tenait accroupie sur elle-même, les genoux au menton, dans l'odeur de caoutchouc de ses bottes, en plein vent, sur le sable humide de la marée.

Il n'y avait qu'assise — ou accroupie — au bord de la mer que son chant s'effaçait.

Elle pouvait passer des heures devant les vagues, dans le vacarme, engloutie dans leur rythme comme dans l'étendue grise, de plus en plus bruyante et immense. Là, elle perdait non seulement ses chants mais jusqu'au souvenir de sa vie, jusqu'au sentiment de son corps.

*

Elle rentra avec Georges par le train.

Dans le train qui les ramenait tous les deux à Paris-Montparnasse (puis dans le train à la gare de Lyon qui les ramenait tous les deux à Teilly) Ann Hidden ne put lire aucun des magazines qu'elle avait achetés à la gare.

Georges lisait un roman. Ses doigts un peu velus étaient aussi maigres que des pattes d'étrilles.

*

Ils marchèrent encore plus difficilement en Bourgogne qu'en Bretagne. De grands tapis de feuilles mortes jonchaient le sol. Elles adhéraient aux pavés. Elles collaient aux semelles.

En novembre, Ann glissa sur de grosses feuilles de

châtaigniers et se tordit la cheville. Mais l'odeur qu'elles dégageaient quand elle y enfouit sa tête était plus merveilleuse encore que celle si âcre qui provenait de la mer.

Elle boita pendant des jours dans l'autre odeur, elle aussi enivrante, des feuilles qu'on brûlait dans des grands braseros qu'on avait placés aux quatre coins du quai aux tilleuls.

Puis ils eurent du mal à se repérer dans le brouillard de fin novembre.

Elle s'était fait si mal au pied en tombant qu'elle ne fut plus capable de sortir pendant une vingtaine de jours. Georges s'occupait d'elle. Un soir il lui dit que c'étaient les plus beaux jours qu'il eût vécus dans ce monde depuis la mort d'Éric. Elle passait son temps à se faire dorloter. Elle ne parlait pas beaucoup. Elle passait ses après-midi dans le son si fragile du Érard.

*

Kraus n'aimait que Gluck. Il jouait tout ce qu'il avait écrit et ne jouait que cela. Il le transposait au piano. Il le chantonnait sans cesse.

Vie absolument dévouée.

Sa vie était devenue semblable à la vie de Kraus.

Georges venait l'écouter travailler — condenser — au piano.

Puis, à six heures, Georges allumait l'âtre. À peine s'était-il enfermé dans sa cuisine pour préparer ses petits plats qu'elle allait s'installer devant le feu de bois pour lire.

267

*

Rétablir seule le contact avec le vieux corps chaud,

la merveilleuse odeur,

le bras qui porte, tient et berce,

le son qui rassure.

Un immense canapé où le corps se love,

une grande cheminée au fond tout noir où le feu monte,

un grille-pain, des fruits, des fleurs, un grand pot de lavande été comme hiver à l'intérieur de la maison afin d'en écraser les fleurs parfois, subitement,

un excellent fauteuil dans le recoin de la fenêtre mais à l'abri des rayons brûlants du soleil,

un tourne-disque.

*

Georges s'arrêta, le tire-bouchon à la main. Il contemplait son amie. Elle cherchait une partition. Son visage se trouvait placé juste au-dessus de la lampe. Son menton, ses joues étaient éclairés. Elle était d'une grande beauté.

*

Elle était plongée dans Jiri Benda.

Jadis la *Médée* de Benda avait totalement subjugué Mozart.

268

*

Ce qui faisait le propre des pièces d'Ann Hidden consistait dans leur interruption subite. Il n'y avait pas de fin — mais un brusque silence qui semblait impréparé et surgir au pire moment, au moment le plus douloureux, au moment où on attendait le plus la suite. Jadis, à Bagdad, dans l'obscurité finissante, Schéhérazade ne donnait pas non plus la fin de la narration à la fin de la nuit. Tel était du moins l'argument un peu énigmatique qu'elle employait quand on lui reprochait la brusquerie de ses séquences.

*

Ses compositions étaient difficiles. Le plus large public ne s'intéressait pas à ce qu'elle faisait. Mais il y avait les fanatiques. Et il y avait suffisamment de fanatiques pour qu'elle pût vivre. Ils avaient l'impression d'être touchés au cœur. Ils lui adressaient des lettres. De cela elle pouvait être, chaque fois qu'elle le redécouvrait, sidérée. Pendant une heure ou deux elle était remplie de gratitude à l'idée de compter tant pour certains. Mais elle oubliait très vite qu'il en allait ainsi.

*

En décembre il fit très froid. Le soleil d'automne brillait, jaune d'œuf.

Le ciel était magnifique — d'un bleu beaucoup plus pâle qu'il n'était en Italie.

C'était l'hiver qui venait en Bourgogne.

Le pas faisait craquer les dernières feuilles mortes tombées et de rouges devenues noires par terre. La vapeur légère montait du nez des humains et commençait à flotter autour de leur bouche. Les chiens crachaient aussi leur souffle à ras du sol. Une lumière grise scellait leur ombre et l'imprégnait davantage à la terre que celle des humains qui passaient.

CHAPITRE III

Elle ouvrit la baie vitrée sur la terrasse remplie de cactées. D'où elle était, elle voyait une grande partie de Los Angeles. Ann Hidden avait refusé d'assister au mariage qui avait eu lieu une dizaine de jours plus tôt. Elle avait aussi précisé à son père — quand elle l'avait appelé de l'aéroport — qu'elle ne souhaitait pas être présentée à la nouvelle femme qui remplaçait sa mère.

Une jeune employée de maison l'avait fait entrer dans le living. Son vieux père, minuscule, avec ses petits cheveux blancs hérissés, arriva, un peu instable mais sans canne, portant, les deux mains tendues devant lui, une somptueuse orchidée blanche qu'il lui donna.

Elle le remercia.

Il souriait de façon un peu volontaire.

Tandis qu'elle tenait encore dans ses mains la grande orchidée blanche qu'il lui avait donnée, il lui montrait déjà, avec la main, le grand piano Yamaha noir.

— Mais pourquoi ?

Il ouvrit les bras.

— Pour dire l'adieu ? murmura-t-elle.

Il inclina la tête.

Visiblement il n'arrivait pas à parler.

— Pour dire *déjà* l'adieu ? répéta-t-elle sans y croire.

Elle eut un sanglot. L'émotion est contagieuse. Ce fut plus fort qu'elle. Elle pleura un instant le nez dans l'orchidée.

— Papa ! dit-elle.

Il était gêné.

Elle posa la fleur sur le dallage, à même le dallage, près de la porte coulissante du living, s'apprêtant à repartir.

Ils ne dirent pas grand-chose.

Au bout d'un de ces silences elle demanda :

— Papa, je ne comprends pas. Pourquoi ne faut-il plus nous voir ?

— C'est trop éprouvant, dit-il. Et puis ma nouvelle femme est très attristée que tu la rejettes sans accepter de la rencontrer.

Alors ils se promirent de ne plus jamais se revoir.

Il ne but même pas la moitié du verre de vin cuit qu'il s'était servi.

— Joue, lui dit-il en lui montrant le piano.

— Si on faisait plutôt un peu de musique ensemble ? lui répondit-elle.

— Tu transposes tout ?

— Oui.

— Moi aussi.

— C'est notre don.

— Missaïl, c'était pareil.

— Qui était Missaïl ?

— Michel. Mon père s'appelait Michel. Maman disait Missaïl. C'est le seul souvenir que j'aie gardé d'elle. J'entends ce nom, de temps en temps, chuchoter en moi. Cela se dit en français ?

— Je n'en sais rien et je m'en fiche. Nous pourrions transposer à quatre mains un des trios de Haydn que j'ai vus sur la table basse.

— Allons-y.

Elle alla chercher la partition.

Elle ouvrit la partition sur le Yamaha.

Ils la lurent côte à côte, debout.

Ils s'assirent côte à côte sur la banquette devant le piano.

Elle tremblait de douleur.

Ils fermèrent les yeux.

Ils jouèrent.

CHAPITRE IV

L'Yonne gela. Il fit un froid effrayant. Les conduites d'eau se déchirèrent. Tous les sols à l'extérieur étaient couverts de glace. On ne pouvait ni marcher ni rouler dans les ruelles. Seule la rue commerçante et le pont étaient sablés chaque jour mais ceux qui s'y aventuraient tombaient quand même. Georges passait ses journées dans son lit — qu'ils avaient fait transporter devant la cheminée. Tout fonctionnait à fond, chaudière au gaz, radiateurs électriques, cheminée — et il ne faisait pas quatorze degrés. Le ciel était gris foncé. La lumière était gris foncé.

La chambre au premier étage de la maison au lierre, quand elle y vécut vraiment, se révéla extraordinairement propice au travail.

On ne voyait que l'eau. On n'entendait que les canards et les cris rauques des cygnes. Une pièce nette, très claire, très blanche, garnie d'un petit lit blanc, une petite table blanche sur laquelle elle posait son ordinateur et sous laquelle, à l'aide de l'imprimante, elle pouvait tirer toutes les partitions qu'elle souhaitait découvrir ou relire, une table de chevet toute blanche, en matière plastique, à trois tiroirs, couverte de cahiers et de livres, remplie de crayons, de gommes, de feutres, d'effaceurs, de ciseaux, de rouleaux de ruban adhésif.

Elle travailla plus qu'elle n'avait jamais travaillé.

Souvent, même, elle composait. Quelque chose en elle montait dédié aux joues rondes d'une petite fille avec qui elle aimait bien se réveiller et s'entretenir.

La pièce du bas était beaucoup plus désordonnée. Les bibliothèques, un lecteur de CD, les coussins, les grands pots de fleurs vivantes ou mortes dans les coins, un vieux miroir immense — elle y vivait à peine. Aussitôt son travail terminé dans sa « maison petiote », dans sa minuscule « komponier-häuschen », elle allait retrouver Georges dans la grande maison.

Elle se rendait rituellement dans le salon de la maison de Georges pour jouer à l'heure du thé.

Elle ne jouait pas pour elle. Elle jouait pour Georges. Elle jouait pour se reposer de composer car elle composait de plus en plus. Elle joua six mois Kraus à la façon dont elle imaginait que Kraus jouait Gluck. Elle joua six mois Schobert comme Mozart jouait Schobert. (Elle joua six mois Haydn comme Radnitzky jouait Haydn.) Elle s'imaginait comme une musicienne d'Ancien Régime. Elle était jouée par trois ou quatre aristocrates fous. Le marché mondial de la musique s'était universellement dévoué à la variété grégaire,

communautaire, nationale, religieuse (Georges disait :
chansons popopulaires, papatriotes, picupleuses).
Restaient les solitaires, les athées, les fous, les péri-
phériques, les oiseaux.

*

An die Musik, À la musique.
An mein Klavier, À mon clavier.
Elle tenait dans ses mains un galet noir tout plat.

*

On dit que la toile selon son étendue, sa forme, sa
solidité, ses leurres, sa beauté, au tout dernier
moment tisse l'araignée qui lui est nécessaire.
Les œuvres inventent l'auteur qu'il leur faut et
construisent la biographie qui convient.

*

Les musicologues écrivaient des études très
complexes sur ses œuvres si brèves et si précaires. À
la vérité, la musique d'Ann Hidden était simplement marquée par la douleur.
C'était une douleur toute simple.
C'était la douleur inconsolable qui fait le fond du
jour qu'on découvre.
Pudique, elle tournait en rond — rond qui tournait court dans un brusque abîme se souvenant de
l'ombre.

*

Elle était partout avec son chant de plus en plus singulier.

Elle hélait ses perdus.

La pianiste Magdalena von Kurzböck se tenait aux côtés de Haydn lors de son dernier concert en 1808.

Ann Hidden publia ses sonates, ses trios jamais publiés, jamais interprétés, sublimes.

Il y avait peut-être une raison qui ne fut pas indiquée au choix de cette œuvre.

Ann ne semblait pas l'apercevoir. Elle disait :

— Il se trouve que Magdalena von Kurzböck aimait transmettre. Elle a transmis Haydn. À mon tour j'aime bien transmettre ce qui fut oublié.

Ann déclara aussi à une journaliste américaine :

— Dans le monde où vivent les abeilles, les ouvrières changent de fonctions en vieillissant. Nettoyeuses durant les premiers jours, puis nourrices, puis cirières durant la deuxième décade de leur vie imaginale, enfin butineuses jusqu'à leur mort. En vieillissant je suis devenue butineuse.

*

Elle composa des chants de plus en plus bizarres, de plus en plus brefs, pleins de longs silences en saccades rythmiques, qui ajoutaient une espèce de sauvagerie à la tristesse qui caractérisait tout ce qu'elle faisait.

Hugo Wolf notait, abasourdi, sur ses partitions, l'heure et la date du jour où surgissaient les poussées de création. Huit heures, dimanche 5 juin, dans ma chambre.

Lundi 12, à treize heures trente, marchant dans la forêt.

*

Ann Hidden :
— La musique se compose en moi sans instrument, presque debout, la tête toute droite, dans la bouche tendue, dans tout l'espace du haut du corps. Comme l'orgasme, la musique vient juste au-dessus de la tête. Tout ce qui est composé devant un instrument, ou à l'aide d'un instrument, ou en direction d'un instrument, obéit à ce que cela peut donner sur l'instrument, va vers lui et ce n'est plus de la musique. Le corps est délaissé. Ce n'est qu'une performance de l'instrument. Tout instrument égare. Même la voix elle-même, pensée comme telle, conçue en aria chantée, tirant vers elle-même, égare.

*

Dès qu'il faisait beau dehors elle allait marcher. En fin de matinée, Georges, en revenant de la boulangerie, la retrouvait adossée contre le mur du quai, penchée en avant, toute à ses idées, encore absorbée par le travail du matin, sans un regard pour les joggeurs qui passaient devant elle en haletant.

Elle ne remarquait pas davantage les joggeurs une heure plus tard, alors qu'ils défilaient sans finir, de plus en plus dodus, de plus en plus nauséabonds, rouges, trempés, extatiques, affreusement laids.

Quand elle revenait par l'Yonne, Georges le découvrait aussitôt sur le carrelage parce qu'elle y mouillait ses souliers.

*

Georges transportait du bois. Ou un arrosoir. Ou un marteau, un fil de fer, un clou. Ou il errait un sécateur à la main.

Il grommelait :

— Le maître de chapelle attend son bois de chauffage, son grog, ses bougies.

Il était devenu maigre comme une sauterelle. Il n'avait plus de cheveux. En raison des médicaments qu'il prenait il parlait de façon lente, douce, évanescente, nuageuse.

— Éliane, je voudrais que tu acceptes de partager de façon un peu officielle, un peu démonstrative, les derniers moments de ma vie. J'aurais personnellement une telle joie que tu sois aux yeux de *tout le monde* ce que j'ai de plus cher au monde. Et puis je partirais.

— Pouce, Georges. Merci beaucoup. Tu vas mieux. Je suis là.

— Éliane...

— Arrête, Georges. Ouvre les yeux : je suis là. Je suis complètement là. Je vis ici. Je paie maintenant mes impôts ici. Nous vivons côte à côte. C'est très bien comme cela.

Elle lui expliquait :

— Je ne veux plus rien recevoir de personne. Je ne veux plus rien attendre de personne. Je ne veux plus dépendre de personne.

— Tu es trop orgueilleuse. Tu es déplaisante. Je vais te dire, Ann...

— Oui.

— Tu n'es pas gentille.

— C'est vrai. Vous aurez passé votre temps, Véri et toi, à l'école, quand j'étais petite, à me le seriner. Et maintenant tu consacres ton temps, depuis trois ans, à le radoter de nouveau.

*

À cinquante ans il pouvait bouder comme un enfant pendant trois jours. Il avait alors le regard de travers, la bouche tordue, le sourcil froncé.

*

On dit que dans une symbiose les deux organismes se prodiguent mutuellement secours et nutriments.

L'aide et la vigilance en premier.

La nourriture en second (c'était plutôt ce que Georges aurait placé en premier).

Dans la symbiose chacun exploite irrésistiblement l'autre à proportion de ce qu'il lui rend. Si l'un, d'aventure, cherche à prendre avantage sur l'autre, il asphyxie son partenaire. Si l'autre l'affame, il meurt.

La symbiose ne définit même pas un équilibre. C'est un conflit extrêmement instable — comme le temps dans le ciel de la province de Bourgogne.

Seule la recherche de l'égalité jamais obtenue, impossible, venant, s'effaçant, revenant sans fin, la fait palpiter, la fait vivre.

Leurs pensées commencèrent à se rencontrer à mi-chemin.

Puis elles se croisaient à plus court encore. À l'intonation. Avant même : dès l'ouverture de la bouche, dès le frémissement autour de la bouche. À la brume sur les lèvres l'hiver. À l'odeur. À l'angoisse. Au soupir.

Ils vivaient tellement ensemble qu'ils ne se parlaient plus.

Elle n'était plus jeune ; la vie se faisait de plus en plus intérieure au fond de son corps. Couverte de dix châles son visage aigu irradiait comme une ampoule.

Georges disait (comme si cela avait été plus clair) :

— Quelque chose de l'incommunicable a été communiqué à cette femme et éclaire ma vie.

*

Je me souviens qu'Ann disait à Giulia (quand elle vivait avec elle et Magdalena dans la longue villa qu'elle avait louée au-dessus de la mer) :

— Quand on est encore enfant, chaque partie du corps qu'on aime émet une lumière. Rien ne procède encore tout à fait du monde solaire. La lumière vient du cœur de l'enfant.

CHAPITRE V

À Milan.

Elle poussa une nouvelle fois les portes vitrées de l'ascenseur en bois de Pernambouc. La porte de l'appartement était entrouverte. Elle poussa le battant. Elle referma la porte. Elle resta dans l'entrée, intimidée comme elle l'était durant son adolescence.

Le salon était vide ; le piano était refermé ; les rideaux étaient tirés.

Elle quitta la pièce.

Elle trouva le très vieil homme assis dans la salle à manger — assis sans rien faire devant la grande table noire. Il tourna son visage vers la porte et la dévisagea. Ses yeux l'effrayèrent. Il avait l'air fou. Puis il la reconnut et le très vieux visage s'éclaira. Il voulut se lever.

— Ne bougez pas ! Ne bougez pas ! cria-t-elle en se précipitant vers lui.

Arrivée près de lui, elle se pencha, lui prit les mains.

Ses lèvres et sa voix tremblèrent.

— Ma petite Ann, lui dit-il. (Il parlait en anglais.)

Il chercha à raffermir sa voix, à reprendre sa voix d'autrefois :

— Ma petite Ann, vous me procurez un grand bonheur en venant me voir comme vous le faites.

Elle regardait autour d'elle. La pièce était toujours la même. Basse, longue, mal éclairée et plus vide encore que cinquante ans plus tôt. Elle y avait rarement été admise. Les poutres étaient toujours aussi obscures, apparentes, oppressantes. La cheminée vide — et au-dessus de la cheminée le crucifix noir. Aucune autre image. Le même silence. La même violence.

*

Il faisait gris et très chaud. Quand elle descendit de l'avion elle aperçut à une dizaine de mètres un berger en boubou jaune s'appuyant sur un bâton, qui la regardait avec indifférence.

Trois ou quatre chèvres broutaient l'herbe grise, un peu plus loin, sur la piste d'atterrissage.

Elle donna son sac de voyage au chauffeur qui s'était approché d'elle en trottinant. Ils traversèrent durant des heures et des heures des bidonvilles. Elle se retrouva dans un salon merveilleux. L'accordeur noir était encore à travailler sur le vieux Pleyel du XIXᵉ siècle.

*

En Australie.

Elle n'avait pas beaucoup de mémoire dans la

durée mais cette mémoire était intense dans l'instant.

C'était très simple : dès qu'elle buvait du vin, elle oubliait tout.

Le soir elle oubliait tout.

Quand elle interprétait, quand elle enregistrait, elle cessait de boire. Elle renversait les temps quotidiens. La nuit tombée elle restait dans sa chambre. Elle lisait. Peu importait la nature de la partition : orchestre, quatuor, trio, orgue, lieder. Elle mémorisait très vite. Elle reposait la partition.

Yeux ouverts, devant le mur nu (ou qu'elle dépouillait de ses cadres, photographies, sérigraphies) de la chambre d'hôtel ou de la loge, elle en contemplait l'image panoramique dans le vide.

Toute concentrée, toute droite, elle descendait précautionneusement — pour ne rien égarer de sa vision — dans la salle de concert, ou dans le studio, allait aux pianos.

Elle enregistrait sur deux Steinway très différents — le jour et la nuit —, profonds, aux touches très profondes, extraordinaires.

Assise, levant les mains, faisait longtemps silence. Brusquement elle était en train de jouer.

Tout le travail de concentration se faisait dans sa loge. Les techniciens étaient prêts, attendaient. Elle descendait. Elle ne faisait qu'une prise.

*

À Sydney elle couchait dans l'appartement de Warren. Elle expliquait à Warren :

— Il paraît que le sommeil livre la conduite du corps au plus âgé de nos trois cerveaux. La main droite perd sa compétence la nuit. La main sinistre y redevient habile. Un pianiste s'il est compositeur a tout intérêt à enregistrer à l'heure où il devrait être en train de dormir. Sa gauche est jaillissante. Dans le même temps les doigts jusque-là dominants de la main droite perdent leur souveraineté.

Elle dit une autre fois à un journaliste japonais qui était venu l'interviewer :

— Klee, le peintre, s'imposait de dessiner avec la main gauche durant la journée pour être inhabile et enfantin, imprévisible. Moi je joue à l'heure où la main gauche règne. À cette heure la partition n'est plus qu'un rêve qui défile suivant un tempo que je ne maîtrise pas.

*

Avant chaque concert il lui fallait se livrer à une ascèse qui lui rendait peu à peu la vie impossible. Elle limita cette ascèse aux enregistrements qu'elle groupait et auxquels elle ne s'attelait qu'une fois tous les deux ans. Elle refusait pendant des mois toute invitation le soir. Elle se couchait à vingt-deux heures précises, se levait à quatre heures précises, ne jamais sommeiller ni rêver au cours de la journée. Elle appelait cela « émanciper la main gauche ».

Warren lui dit :

— Ici les aborigènes appellent cela : rejoindre le Temps du Rêve.

*

Elle sortit la clé. Elle pénétra dans le studio d'enregistrement. Il était vide. Il sentait le tabac. Les interrupteurs près de la porte ne fonctionnaient pas. Ils avaient dû couper au compteur. Alors elle marcha prudemment dans l'obscurité parmi les fils, les câbles, les transformateurs qui traînaient par terre. Devant le mur du fond, sur l'estrade, au pied du second Steinway, elle retrouva son sac à main (son sac à main était plutôt une grande sacoche en caoutchouc noir). Elle l'ouvrit. Elle prit le petit « kchouche de Lena ». Ce n'était qu'un galet noir. Elle referma le sac, le mit sur son épaule, remonta l'escalier. Rassérénée. Repartit.

CHAPITRE VI

Deux ans avaient passé. Elle revint à Ischia pour voir la vieille Amalia parce que cette dernière lui avait écrit. Elle lui demandait pudiquement de venir.

Elle mourut — pour ainsi dire — ses mains dans ses mains.

Elle revit Filosseno alors.

Elle s'installa dans un hôtel de San Angelo — qui se trouvait à six kilomètres de la ferme de Cava Scura.

Elle n'alla pas revoir de l'autre côté de l'île la longue maison au toit presque bleu qui avait été édifiée autrefois pour la grand-tante de son amie.

En octobre la mer était violette.

Devenue violette, tous les mondains disparurent.

*

En novembre la mer devint brune. Les vagues se soulevèrent. Les villas sur la mer se vidèrent. L'éperon rocheux et l'île s'entourèrent de brumes.

Les fumées apparurent sur les toits des maisons dans la vallée et se mêlèrent aux brumes. Armando partit à son tour. Puis Jovial Sénile. La Kropotkine partit.

Restaient des paysannes, des marins et des fruits.

Elle se rendit à Naples, à l'opéra, pour assister à une représentation de *Paride ed Elena* de Gluck.

*

— Ah, che leggo ! chantait en elle sans fin.

Elle se tenait sur l'escalier du théâtre San Carlo dans la nuit.

Elle avait allumé une cigarette. Elle voulut jeter l'allumette. Elle n'osa pas. Elle plaça l'allumette entre le petit doigt et l'annulaire.

Elle tenait la cigarette entre l'index et le majeur.

Le musicien qui avait une tête juvénile (bien qu'il fût devenu chauve) descendit à son tour l'escalier de l'opéra.

Il regarda Ann Hidden immobile sur sa marche, manipulant son allumette et sa cigarette en pleine lumière, jouant avec sa cigarette comme si elle était en train de jouer du piano.

Il s'approcha.

— Je veux dire quand même bonsoir à ma fée.

— Mon sauveur !

Ils s'embrassèrent.

— Es-tu retournée dans l'île ?

— J'y suis, dit Ann.

— Tu as revu Leonhardt ?

— Il ne sait pas que je suis ici.

Alors Ann Hidden saisit la main de Charles Che-nogue et lui demanda avec une sorte de fièvre :

— Où vit-elle ? L'as-tu revue ?

— Juliette s'est installée à Montréal, dit-il. Je n'en sais pas plus.

Elle serra son bras sans un mot et s'éloigna.

Il ne songea même pas à lui demander si elle voulait qu'il la raccompagne en voiture. Il la regarda disparaître. Elle n'était guère devenue bavarde en vieillissant.

Il chercha sa voiture dans les ruelles.

*

— La douche ne fonctionne plus !

Georges était nu devant elle cachant son sexe avec sa serviette. Il avait l'air perdu. Il regardait Ann avec espérance. Il la regardait comme si elle était la plus extraordinaire *plombier* du monde.

— La douche ne fonctionne plus, répéta-t-il tout bas.

— Il y a des brocs à la cuisine, dit-elle.

Elle se reprit :

— Ou alors le tuyau d'arrosage, dit-elle.

— Oui, cela ira plus vite.

Elle tenait le tuyau et il hurlait tandis qu'elle l'aspergeait avec le moins de force possible.

*

Finalement ils s'aimèrent. Ils ne s'aimèrent pas sexuellement. Mais ils s'aimèrent vraiment. Ils s'aimèrent comme deux enfants de six ans se seraient aimés.

Aimer aux yeux des enfants c'est veiller. Veiller le sommeil, apaiser les craintes, consoler les pleurs, soigner les maladies, caresser la peau, la laver, l'essuyer, l'habiller.

Aimer comme on aime les enfants c'est sauver de la mort.

Ne pas mourir c'est nourrir.

Sur ce dernier point il l'aima plus encore qu'elle ne l'aima jamais.

*

Il recommença sa prière.

— Nous avons le même âge, nous avons le même passé, nous avons suivi les mêmes études...

— Pas tout à fait.

— ... les mêmes études *primaires*, si tu préfères. Nous avons appris à lire ensemble. Nous avons appris à compter ensemble. Nous avons appris nos notes ensemble. Nous avons eu les mêmes maîtresses.

— Si tu crois que je ne vois pas où tu veux en venir !

— Je poursuis néanmoins. Nos goûts sont voisins sinon similaires, notre entente est...

— ... parfaite. Vraiment parfaite, parfaite au quart de tour dès l'instant où tu ne parles pas.

— Nos mères nous ont abandonnés dans ce reste de monde, dans ce beau gâchis de monde presque la même année.

— C'est vrai que nous n'avons plus vraiment de famille.

— Nous sommes sans héritiers.

— Déjà je vois que tu donnes un tour tendancieux à la conversation.

— Quelqu'un serait porté à penser à moi après ma mort et ce serait toi.

*

Il était parti en voyage en mars. C'est du moins ce qu'il lui avait dit alors qu'elle se trouvait à Sydney pour le dernier enregistrement qu'elle voulait faire. Il était revenu encore plus exténué. Il lui avait mis le doigt sur les lèvres. Il étreignait ses mains. Elle ne savait pas quoi dire tant elle avait été surprise par l'état où elle le retrouvait. Elle n'avait rien vu venir d'aussi rapide. Sans doute n'avait-elle rien désiré voir venir qui ressemblât à cela. Il l'avait prise par la main et lui avait dit :

— Ne parle pas.

Il s'était étendu sur un des divans du salon.

— Ne parle pas, s'il te plaît. Je t'en prie, feins d'être indifférente. Il va falloir que je fasse descendre toutes mes affaires ici auprès du lit. Il va falloir s'organiser.

— Bien sûr.

— Veux-tu m'aider un peu ?

Elle fit oui avec la tête, incapable de parler.

Il continua :

— Nous allons nous marier. Comme toi qui dédies tout ce que tu composes et tout ce que tu écris à la petite, je sens que j'ai besoin que tout te soit dédié pour vivre encore un peu. En sorte que ma fin soit heureuse. J'ai besoin de toi, Éliane. J'ai besoin de toi pour que tout soit sans souffrance. De tout cela nous ne parlerons plus jamais après cet instant.

— Le mariage ne me...

— Je t'en prie. Ne nous soucions pas des mots, amour, mariage, fusion, symbiose. Le besoin que l'autre a de soi relaie un vieux royaume où aucun de ces noms n'avait cours. Acceptes-tu ?

Finalement elle accepta. Finalement elle découvrit qu'il avait en partie raison. L'envie que l'autre a de soi inventa un règne dont la disparition l'emplit de douleur.

CHAPITRE VII

Dans les aéroports elle aimait être en avance, traîner, acheter, lire, méditer, rêvasser à l'abri de tout souci, préservée de toute angoisse de retard, de toute précipitation. Elle ne pouvait pas rater « partir ». Elle aimait partir. C'était si exaltant d'être dans l'assurance du départ. Elle ferma la porte de la hutte-Gumpendorf. Il était six heures du matin. Le ciel était vide de nuages. Le jour se levait à peine. La brume commençait à monter faiblement sur l'eau. Elle ne ferait aucun bruit. Elle ne réveillerait certainement pas Georges comme il le lui avait demandé.

Elle téléphonerait au taxi de Teilly qui la mènerait à la gare de Sens.

Elle aurait le premier train.

Elle préférait être en avance à l'aéroport.

Elle lirait une partition dans les grands fauteuils froids des portes d'embarquement plutôt que de se contraindre à la feuilleter ici de façon déconcentrée, soumise à la crainte de ne pas être à l'heure.

Elle quitta sa petite maison couverte de lierre,

traversa la roseraie, s'engagea sur le bord de la pelouse le moins trempé par la rosée.

Au loin elle vit la lumière du salon qui était déjà allumée. Elle vit Georges qui lisait près du lampadaire et de la fenêtre. Il avait dû se forcer à se réveiller plus tôt afin de ne pas rater son départ pour New York.

Au travers de la vitre elle voyait son visage penché sur le livre qu'il lisait, éclairé par la lampe.

Elle s'approcha.

Elle toqua doucement à la fenêtre. Mais visiblement il était pris par la lecture de son livre et il ne répondit pas à son signe. Elle entra et posa son sac et les clés dans le corridor. Elle poussa la porte du salon.

Au fond du salon quand elle entra, dans l'embrasure de la fenêtre, Georges ne leva pas son visage.

Elle vint vers lui sur la pointe des pieds pour ne pas le réveiller, pour l'embrasser. Toutefois son immobilité était singulière. Elle posa sa main sur son front. Il était glacé. Le livre tomba de ses mains. Elle le ramassa puis s'assit elle-même, subitement, d'un coup, les fesses par terre, prenant les mains rigides de son ami entre ses mains.

Elle resta ainsi, un moment, la tête toute vide.

*

Elle raccompagna le gendarme dans la rue jusqu'à la voiture de la gendarmerie. Elle revint. La porte de la maison d'à côté était grande ouverte. Un vieil homme se tenait là, tout maigre, les cheveux blancs, en pull de coton à grosses mailles blanches, une balayette à poussière dans la main.

Il s'avança sur la chaussée.

— Quelque chose ne va pas ?

Alors elle s'effondra en sanglots et bafouilla que Georges Roehlinger était mort.

*

Son nez coulait. Elle avait le visage bouffi. Elle était assise sur un tabouret tout blanc dans la magnifique cuisine en acier de Monsieur Delaure.

Cela sentait le café. Et derrière le café le tabac de Hollande. Et, derrière le café et le tabac de Hollande, un mixte d'eau de Javel et d'antimite.

Ils regardaient tous les deux le café qui montait miraculeusement dans la cafetière en verre.

Elle voyait le reflet de son visage partout, sur les parois d'aluminium, sur les carreaux de porcelaine blanche, sur la porte vitrée du four. Jamais elle n'avait vu de sa vie une cuisine aussi propre.

— Vous êtes sa femme ?

— Oui.

— Vous êtes seule ?

Elle ne comprit pas. Le vieil homme répéta :

— Vous êtes seule ?

— Que voulez-vous dire ?

— Vous êtes sans enfants ?

— Oui.

— Alors vous êtes seule.

— J'ai laissé la maison ouverte ! s'écria-t-elle tout à coup.

Elle partit en coup de vent. Elle ne prit pas l'avion. Elle resta.

Ce fut Monsieur Delaure qui l'aida pour tout ce qui concernait les papiers. Elle ne souffrait pas mais elle était perdue.

CHAPITRE VIII

La vieillesse et la solitude la rendirent plus
osseuse. Son corps était devenu raide. Sa chevelure
était devenue entièrement blanche.

Elle changea de nouveau — radicalement — de
façon de s'habiller. D'un coup de baguette magique
ce furent les jupes immenses. Il fallut abandonner
les jeans gris délavés, les chemises d'homme en
coton blanc, les vieux blousons en cuir de Georges.

Vieilles fripes somptueuses, vestes de soie,
grandes surchemises pâles,
grandes vestes polaires grises et douces
envahirent l'espace.

*

Il y a un plaisir non pas d'être seule mais d'être
capable de l'être.
O Oh How I.
Katherine Philips chante puis elle hante.
Puis tout, enfin, s'éloigne, se repose.
Puis tout se tait.

Ann Hidden lève les yeux vers la fenêtre.

Le jour est là.

Tout est si blanc.

— Je ne vois plus le plancher de ma chambre. Je ne vois plus le sol ni la rive. La brume est lente à disparaître. Tout semble vide. Seule la terre sent encore un peu — sous la brume — quand on la foule, quand on piétine l'herbe et la boue de la rive qui craque sous la neige.

Il est midi passé quand le brouillard se défait et que les toits apparaissent, les poteaux électriques, les clochers, les petites têtes des colverts.

Le soleil envahit tout d'un coup.

Elle fait un déjeuner d'ascète (un petit hachis parmentier de volailles) avec un verre de vin (Épineuil). La femme de ménage de l'île Maurice arrive.

Ann range la table. Elle heurte le robinet circulaire. Elle fait tomber sa broche. Le médaillon s'ouvre sur le bord de l'évier.

Une petite dent tombe, rebondit sans un bruit, glisse dans le trou de vidange de l'évier, disparaît.

— Qu'est-ce que c'est ? C'était une dent ? demande la femme de ménage.

— Non, non, murmure Ann Hidden.

Elle referme le médaillon vide. Elle s'enfuit au jardin.

Elle rince la brouette avec le tuyau d'arrosage.

*

Soudain le soleil éclaira la pelouse.

Il toucha la rive.

Les os affluaient sous la peau du visage.

Elle avait un peu le visage de sa mère. Mais son visage était plus maigre que celui de sa mère au même âge. Elle était belle pour qui ne la connaissait pas mais quelque chose de sévère et de violent était apparu dans le front et dans la mâchoire. Une femme derrière elle se tenait, prête à bondir, plus émaciée et plus sèche que sa mère et ses grand-mères et ses arrière-grand-mères maternelles. Quand elle souriait, son sourire était délicieux mais c'était si rare : les dents, grandes, immenses, très belles, toutes blanches, éclairaient tout mais éclairaient d'une lumière froide.

La souffrance, la nage, l'amour, la musique, la faim avaient fait d'elle une femme intense.

Elle sortait souvent. Elle avait acheté un studio près de la gare de Lyon. Au concert on la voyait, on la remarquait — toujours habillée à la japonaise, en Yohji Yamamoto, en Issey Miyake. On la saluait. Elle s'apprêtait à revendre Teilly.

C'était l'été. C'était le soir. Elle se tenait penchée sur le bord de l'Yonne, dans l'ombre du Gumpendorf au crépi tout jauni et maintenant crevassé. Elle jetait le reste du pain aux canards et aux cygnes qui arrivaient à toute vitesse dans le silence à la surface de l'eau sombre. Un chien aboya. Soudain elle pensa à Magdalena Radnitzky. Elle aurait seize ans. Elle surgirait les cheveux mouillés, en chemise de nuit en pilou, elle arriverait en courant dans son dos, en criant, en disant...

Une cloche tout à coup retentit sur la gauche.

C'était une vieille péniche, venue d'un autre temps, qui arrivait. C'étaient des Hollandais qui faisaient les canaux de Bourgogne. Ils passèrent en criant et en faisant des signes à tout le monde.

Elle s'assit lentement sur les marches pour les regarder passer.

L'eau boueuse de l'Yonne venait frapper contre le quai et les anneaux. Elle se tenait là, assise au soleil, comme Giulia jadis, jambes pendantes, dans l'eau bleue de la Méditerranée, un mètre plus bas de la gargote. Ici, l'eau était moins belle. L'été moins chaud. Elle n'avait plus le courage de se lever, de marcher, de courir, de repartir, de mourir. Ici, elle commençait à avoir peur du soleil. Là-bas, quand elles étaient ensemble, quand elles vivaient ensemble toutes les trois, elles n'avaient jamais peur du soleil, pelotonnées toutes les trois dans leurs chaises longues, buvant toutes les trois de l'eau glacée dans de grandes bouteilles de verre couvertes de buée, sur la terrasse, tout en haut de la colline, au paradis.

Première partie   11

Deuxième partie   111

Troisième partie   191

Quatrième partie   255

DU MÊME AUTEUR

Aux Éditions Gallimard

LE LECTEUR, *récit*, 1976.

CARUS, *roman*, 1979 (« Folio », n° 2211).

LES TABLETTES DE BUIS D'APRONENIA AVITIA, *roman*, 1984 (« L'Imaginaire », n° 212).

LE SALON DU WURTEMBERG, *roman*, 1986 (« Folio », n° 1928).

LES ESCALIERS DE CHAMBORD, *roman*, 1989 (« Folio », n° 2301).

TOUS LES MATINS DU MONDE, *roman*, 1991 (« Folio », n° 2533).

LE SEXE ET L'EFFROI, 1994 (« Folio », n° 2839).

VIE SECRÈTE, 1998 (« Folio », n° 3292).

TERRASSE À ROME, *roman*, 2000 (« Folio », n° 3542).

VILLA AMALIA, *roman*, 2006 (« Folio », n° 4588).

LYCOPHRON ET ZÉTÈS, *Poésie Gallimard*, 2010.

LES SOLIDARITÉS MYSTÉRIEUSES, *roman*, 2011.

Aux Éditions Grasset

LES OMBRES ERRANTES, Dernier royaume I, 2002 (« Folio », n° 4078).

SUR LE JADIS, Dernier royaume II, 2002 (« Folio », n° 4137).

ABÎMES, Dernier royaume III, 2002 (« Folio », n° 4138).

LES PARADISIAQUES, Dernier royaume IV, 2005 (« Folio », n° 4515).

SORDIDISSIMES, Dernier royaume V, 2005 (« Folio », n° 4516).

Aux Éditions Galilée

ÉCRITS DE L'ÉPHÉMÈRE, 2005.

POUR TROUVER LES ENFERS, 2005.

LE VŒU DE SILENCE, 2005.

UNE GÊNE TECHNIQUE À L'ÉGARD DES FRAG-
MENTS, 2005.

GEORGES DE LA TOUR, 2005.

INTER AERIAS FAGOS, 2005.

REQUIEM, 2006.

LE PETIT CUPIDON, 2006.

ETHELRUDE ET WOLFRAMM, 2006.

TRIOMPHE DU TEMPS, 2006.

L'ENFANT AU VISAGE COULEUR DE LA MORT, 2006.

BOUTÈS, 2008.

Chez d'autres éditeurs

L'ÊTRE DU BALBUTIEMENT, essai sur Sacher-Masoch, *Mercure de France*, 1969.

ALEXANDRA DE LYCOPHRON, *Mercure de France*, 1971.

LA PAROLE DE LA DÉLIE, essai sur Maurice Scève, *Mercure de
France*, 1974.

MICHEL DEGUY, *Seghers*, 1975.

LA LEÇON DE MUSIQUE, *Hachette*, 1987.

ALBUCIUS, *P.O.L*, 1990 (« Folio », *n° 3992*).

KONG SOUEN-LONG, SUR LE DOIGT QUI MONTRE
CELA, *Michel Chandeigne*, 1990.

LA RAISON, *Le Promeneur*, 1990.

PETITS TRAITÉS, tomes I à VIII, *Maeght Éditeur*, 1990 (« Folio »,
n°s 2976-2977).

LA FRONTIÈRE, roman, *Éditions Chandeigne*, 1992 (« Folio », *n° 2572*).

LE NOM SUR LE BOUT DE LA LANGUE, *P.O.L*, 1993 («Folio», *n° 2698*).

L'OCCUPATION AMÉRICAINE, *roman, Seuil*, 1994 («Points», *n° 208*).

LES SEPTANTE, *conte, Patrice Trigano*, 1994.

L'AMOUR CONJUGAL, *roman, Patrice Trigano*, 1994.

RHÉTORIQUE SPÉCULATIVE, *Calmann-Lévy*, 1995 («Folio», *n° 3007*).

LA HAINE DE LA MUSIQUE, *Calmann-Lévy*, 1996 («Folio», *n° 3008*).

TONDO, *Flammarion*, 2002.

CÉCILE REIMS GRAVEUR DE HANS BELLMER, *Éditions du cercle d'art*, 2006.

LA NUIT SEXUELLE, *Flammarion*, 2007.

LA BARQUE SILENCIEUSE, Dernier royaume VI, *Seuil*, 2009 («Folio», *n° 5262*).

COLLECTION FOLIO

Dernières parutions

5170. Léon Tolstoï   *Le Diable*
5171. J. G. Ballard   *La vie et rien d'autre*
5172. Sebastian Barry   *Le testament caché*
5173. Blaise Cendrars   *Dan Yack*
5174. Philippe Delerm   *Quelque chose en lui de Bartleby*
5175. Dave Eggers   *Le grand Quoi*
5176. Jean-Louis Ezine   *Les taiseux*
5177. David Foenkinos   *La délicatesse*
5178. Yannick Haenel   *Jan Karski*
5179. Carol Ann Lee   *La rafale des tambours*
5180. Grégoire Polet   *Chucho*
5181. J.-H. Rosny Aîné   *La guerre du feu*
5182. Philippe Sollers   *Les Voyageurs du Temps*
5183. Stendhal   *Aux âmes sensibles*
5184. Alexandre Dumas   *La main droite du sire de Giac et autres nouvelles*
5185. Edith Wharton   *Le miroir* suivi de *Miss Mary Pask*
5186. Antoine Audouard   *L'Arabe*
5187. Gerbrand Bakker   *Là-haut, tout est calme*
5188. David Boratav   *Murmures à Beyoğlu*
5189. Bernard Chapuis   *Le rêve entouré d'eau*
5190. Robert Cohen   *Ici et maintenant*
5191. Ananda Devi   *Le sari vert*
5192. Pierre Dubois   *Comptines assassines*
5193. Pierre Michon   *Les Onze*
5194. Orhan Pamuk   *D'autres couleurs*
5195. Noëlle Revaz   *Efina*
5196. Salman Rushdie   *La terre sous ses pieds*
5197. Anne Wiazemsky   *Mon enfant de Berlin*

5198. Martin Winckler — *Le Chœur des femmes*

5199. Marie NDiaye — *Trois femmes puissantes*

5200. Gwenaëlle Aubry — *Personne*

5201. Gwenaëlle Aubry — *L'isolée* suivi de *L'isolement*

5202. Karen Blixen — *Les fils de rois* et autres contes

5203. Alain Blottière — *Le tombeau de Tommy*

5204. Christian Bobin — *Les ruines du ciel*

5205. Roberto Bolaño — *2666*

5206. Daniel Cordier — *Alias Caracalla*

5207. Erri De Luca — *Tu, mio*

5208. Jens Christian Grøndahl — *Les mains rouges*

5209. Hédi Kaddour — *Savoir-vivre*

5210. Laurence Plazenet — *La blessure et la soif*

5211. Charles Ferdinand Ramuz — *La beauté sur la terre*

5212. Jón Kalman Stefánsson — *Entre ciel et terre*

5213. Mikhaïl Boulgakov — *Le Maître et Marguerite*

5214. Jane Austen — *Persuasion*

5215. François Beaune — *Un homme louche*

5216. Sophie Chauveau — *Diderot, le génie débraillé*

5217. Marie Darrieussecq — *Rapport de police*

5218. Michel Déon — *Lettres de château*

5219. Michel Déon — *Nouvelles complètes*

5220. Paula Fox — *Les enfants de la veuve*

5221. Franz-Olivier Giesbert — *Un très grand amour*

5222. Marie-Hélène Lafon — *L'Annonce*

5223. Philippe Le Guillou — *Le bateau Brume*

5224. Patrick Rambaud — *Comment se tuer sans en avoir l'air*

5225. Meir Shalev — *Ma Bible est une autre Bible*

5226. Meir Shalev — *Le pigeon voyageur*

5227. Antonio Tabucchi — *La tête perdue de Damasceno Monteiro*

5228. Sempé-Goscinny — *Le Petit Nicolas et ses voisins*

5229. Alphonse de Lamartine — *Raphaël*

5230. Alphonse
de Lamartine — *Voyage en Orient*

5231. Théophile Gautier — *La cafetière* et autres contes fantastiques

5232. Claire Messud — *Les Chasseurs*

5233. Dave Eggers — *Du haut de la montagne, une longue descente*

5234. Gustave Flaubert — *Un parfum à sentir ou Les Baladins* suivi de *Passion et vertu*

5235. Carlos Fuentes — *En bonne compagnie* suivi de *La chatte de ma mère*

5236. Ernest Hemingway — *Une drôle de traversée*

5237. Alona Kimhi — *Journal de Berlin*

5238. Lucrèce — *«L'esprit et l'âme se tiennent étroitement unis»*

5239. Kenzaburô Ôé — *Seventeen*

5240. P. G. Wodehouse — *Une partie mixte à trois* et autres nouvelles du green

5241. Melvin Burgess — *Lady*

5242. Anne Cherian — *Une bonne épouse indienne*

5244. Nicolas Fargues — *Le roman de l'été*

5245. Olivier
Germain-Thomas — *La tentation des Indes*

5246. Joseph Kessel — *Hong-Kong et Macao*

5247. Albert Memmi — *La libération du Juif*

5248. Dan O'Brien — *Rites d'automne*

5249. Redmond O'Hanlon — *Atlantique Nord*

5250. Arto Paasilinna — *Sang chaud, nerfs d'acier*

5251. Pierre Péju — *La Diagonale du vide*

5252. Philip Roth — *Exit le fantôme*

5253. Hunter S. Thompson — *Hell's Angels*

5254. Raymond Queneau — *Connaissez-vous Paris?*

5255. Antoni Casas Ros — *Enigma*

5256. Louis-Ferdinand Céline — *Lettres à la N. R. F.*

5257. Marlena de Blasi — *Mille jours à Venise*

5258. Éric Fottorino — *Je pars demain*

5259. Ernest Hemingway — *Îles à la dérive*

5260. Gilles Leroy — *Zola Jackson*
5261. Amos Oz — *La boîte noire*
5262. Pascal Quignard — *La barque silencîeuse (Dernier royaume, VI)*
5263. Salman Rushdie — *Est, Ouest*
5264. Alix de Saint-André — *En avant, route!*
5265. Gilbert Sinoué — *Le dernier pharaon*
5266. Tom Wolfe — *Sam et Charlie vont en bateau*
5267. Tracy Chevalier — *Prodigieuses créatures*
5268. Yasushi Inoué — *Kôsaku*
5269. Théophile Gautier — *Histoire du Romantisme*
5270. Pierre Charras — *Le requiem de Franz*
5271. Serge Mestre — *La Lumière et l'Oubli*
5272. Emmanuelle Pagano — *L'absence d'oiseaux d'eau*
5273. Lucien Suel — *La patience de Mauricette*
5274. Jean-Noël Pancrazi — *Montecristi*
5275. Mohammed Aïssaoui — *L'affaire de l'esclave Furcy*
5276. Thomas Bernhard — *Mes prix littéraires*
5277. Arnaud Cathrine — *Le journal intime de Benjamin Lorca*
5278. Herman Melville — *Mardi*
5279. Catherine Cusset — *New York, journal d'un cycle*
5280. Didier Daeninckx — *Galadio*
5281. Valentine Goby — *Des corps en silence*
5282. Sempé-Goscinny — *La rentrée du Petit Nicolas*
5283. Jens Christian Grøndahl — *Silence en octobre*
5284. Alain Jaubert — *D'Alice à Frankenstein (Lumière de l'image, 2)*
5285. Jean Molla — *Sobibor*
5286. Irène Némirovsky — *Le malentendu*
5287. Chuck Palahniuk — *Pygmy* (à paraître)
5288. J.-B. Pontalis — *En marge des nuits*
5289. Jean-Christophe Rufin — *Katiba*
5290. Jean-Jacques Bernard — *Petit éloge du cinéma d'aujourd'hui*
5291. Jean-Michel Delacomptée — *Petit éloge des amoureux du silence*

5292. Mathieu Terence — *Petit éloge de la joie*

5293. Vincent Wackenheim — *Petit éloge de la première fois*

5294. Richard Bausch — *Téléphone rose* et autres nouvelles

5295. Collectif — *Ne nous fâchons pas! Ou L'art de se disputer au théâtre*

5296. Collectif — *Fiasco! Des écrivains en scène*

5297. Miguel de Unamuno — *Des yeux pour voir*

5298. Jules Verne — *Une fantaisie du docteur Ox*

5299. Robert Charles Wilson — *YFL-500*

5300. Nelly Alard — *Le crieur de nuit*

5301. Alan Bennett — *La mise à nu des époux Ransome*

5302. Erri De Luca — *Acide, Arc-en-ciel*

5303. Philippe Djian — *Incidences*

5304. Annie Ernaux — *L'écriture comme un couteau*

5305. Élisabeth Filhol — *La Centrale*

5306. Tristan Garcia — *Mémoires de la Jungle*

5307. Kazuo Ishiguro — *Nocturnes. Cinq nouvelles de musique au crépuscule*

5308. Camille Laurens — *Romance nerveuse*

5309. Michèle Lesbre — *Nina par hasard*

5310. Claudio Magris — *Une autre mer*

5311. Amos Oz — *Scènes de vie villageoise*

5312. Louis-Bernard Robitaille — *Ces impossibles Français*

5313. Collectif — *Dans les archives secrètes de la police*

5314. Alexandre Dumas — *Gabriel Lambert*

5315. Pierre Bergé — *Lettres à Yves*

5316. Régis Debray — *Dégagements*

5317. Hans Magnus Enzensberger — *Hammerstein ou l'intransigeance*

5318. Éric Fottorino — *Questions à mon père*

5319. Jérôme Garcin — *L'écuyer mirobolant*

5320. Pascale Gautier — *Les vieilles*

5321. Catherine Guillebaud — *Dernière caresse*

5322. Adam Haslett — *L'intrusion*

5323. Milan Kundera — *Une rencontre*
5324. Salman Rushdie — *La honte*
5325. Jean-Jacques Schuhl — *Entrée des fantômes*
5326. Antonio Tabucchi — *Nocturne indien* (à paraître)
5327. Patrick Modiano — *L'horizon*
5328. Ann Radcliffe — *Les Mystères de la forêt*
5329. Joann Sfar — *Le Petit Prince*
5330. Rabaté — *Les petits ruisseaux*
5331. Pénélope Bagieu — *Cadavre exquis*
5332. Thomas Buergenthal — *L'enfant de la chance*
5333. Kettly Mars — *Saisons sauvages*
5334. Montesquieu — *Histoire véritable et autres fictions*
5335. Chochana Boukhobza — *Le Troisième Jour*
5336. Jean-Baptiste Del Amo — *Le sel*
5337. Bernard du Boucheron — *Salaam la France*
5338. F. Scott Fitzgerald — *Gatsby le magnifique*
5339. Maylis de Kerangal — *Naissance d'un pont*
5340. Nathalie Kuperman — *Nous étions des êtres vivants*
5341. Herta Müller — *La bascule du souffle*
5342. Salman Rushdie — *Luka et le Feu de la Vie*
5343. Salman Rushdie — *Les versets sataniques*
5344. Philippe Sollers — *Discours Parfait*
5345. François Sureau — *Inigo*
5346. Antonio Tabucchi — *Une malle pleine de gens*
5347. Honoré de Balzac — *Philosophie de la vie conjugale*
5348. De Quincey — *Le bras de la vengeance*
5349. Charles Dickens — *L'Embranchement de Mugby*
5350. Epictète — *De l'attitude à prendre envers les tyrans*
5351. Marcus Malte — *Mon frère est parti ce matin...*
5352. Vladimir Nabokov — *Natacha et autres nouvelles*
5353. Conan Doyle — *Un scandale en Bohême* suivi de *Silver Blaze. Deux aventures de Sherlock Holmes*
5354. Jean Rouaud — *Préhistoires*
5355. Mario Soldati — *Le père des orphelins*
5356. Oscar Wilde — *Maximes et autres textes*

5357. Hoffmann — *Contes nocturnes*

5358. Vassilis Alexakis — *Le premier mot*

5359. Ingrid Betancourt — *Même le silence a une fin*

5360. Robert Bobert — *On ne peut plus dormir tranquille quand on a une fois ouvert les yeux*

5361. Driss Chraïbi — *L'âne*

5362. Erri De Luca — *Le jour avant le bonheur*

5363. Erri De Luca — *Première heure*

5364. Philippe Forest — *Le siècle des nuages*

5365. Éric Fottorino — *Cœur d'Afrique*

5366. Kenzaburô Ôé — *Notes de Hiroshima*

5367. Per Petterson — *Maudit soit le fleuve du temps*

5368. Junichirô Tanizaki — *Histoire secrète du sire de Musashi*

5369. André Gide — *Journal. Une anthologie (1899-1949)*

5370. Collectif — *Journaux intimes. De Madame de Staël à Pierre Loti*

5371. Charlotte Brontë — *Jane Eyre*

5372. Héctor Abad — *L'oubli que nous serons*

5373. Didier Daeninckx — *Rue des Degrés*

5374. Hélène Grémillon — *Le confident*

5375. Erik Fosnes Hansen — *Cantique pour la fin du voyage*

5376. Fabienne Jacob — *Corps*

5377. Patrick Lapeyre — *La vie est brève et le désir sans fin*

5378. Alain Mabanckou — *Demain j'aurai vingt ans*

5379. Margueritte Duras François Mitterrand — *Le bureau de poste de la rue Dupin et autres entretiens*

5380. Kate O'Riordan — *Un autre amour*

5381. Jonathan Coe — *La vie très privée de Mr Sim*

5382. Scholastique Mukasonga — *La femme aux pieds nus*

5383. Voltaire — *Candide ou l'Optimisme. Illustré par Quentin Blake*

5384. Benoît Duteurtre — *Le retour du Général*

5385. Virginia Woolf — *Les Vagues*

5386. Nik Cohn — *Rituels tribaux du samedi soir et autres histoires américaines*

5387. Marc Dugain — *L'insomnie des étoiles*

5388. Jack Kerouac — *Sur la route. Le rouleau original*

5389. Jack Kerouac — *Visions de Gérard*

5390. Antonia Kerr — *Des fleurs pour Zoë*

5391. Nicolaï Lilin — *Urkas! Itinéraire d'un parfait bandit sibérien*

5392. Joyce Carol Oates — *Zarbie les Yeux Verts*

5393. Raymond Queneau — *Exercices de style*

5394. Michel Quint — *Avec des mains cruelles*

5395. Philip Roth — *Indignation*

5396. Sempé-Goscinny — *Les surprises du Petit Nicolas. Histoires inédites-5*

5397. Michel Tournier — *Voyages et paysages*

5398. Dominique Zehrfuss — *Peau de caniche*

5399. Laurence Sterne — *La Vie et les Opinions de Tristram Shandy, Gentleman*

5400. André Malraux — *Écrits farfelus*

5401. Jacques Abeille — *Les jardins statuaires*

5402. Antoine Bello — *Enquête sur la disparition d'Émilie Brunet*

5403. Philippe Delerm — *Le trottoir au soleil*

5404. Olivier Marchal — *Rousseau, la comédie des masques*

5405. Paul Morand — *Londres suivi de Le nouveau Londres*

5406. Katherine Mosby — *Sanctuaires ardents*

5407. Marie Nimier — *Photo-Photo*

5408. Arto Paasilinna — *Le potager des malfaiteurs ayant échappé à la pendaison*

5409. Jean-Marie Rouart — *La guerre amoureuse*

5410. Paolo Rumiz — *Aux frontières de l'Europe*

5411. Colin Thubron — *En Sibérie*

5412. Alexis de Tocqueville — *Quinze jours dans le désert*

5413. Thomas More — *L'Utopie*

5414. Madame de Sévigné — *Lettres de l'année 1671*

5415. Franz Bartelt — *Une sainte fille et autres nouvelles*

5416. Mikhaïl Boulgakov — *Morphine*

5417. Guillermo Cabrera Infante — *Coupable d'avoir dansé le cha-cha-cha*

5418. Collectif — *Jouons avec les mots. Jeux littéraires*

5419. Guy de Maupassant — *Contes au fil de l'eau*

5420. Thomas Hardy — *Les Intrus de la Maison Haute* précédé d'un autre conte du Wessex

5421. Mohamed Kacimi — *La confession d'Abraham*

5422. Orhan Pamuk — *Mon père et autres textes*

5423. Jonathan Swift — *Modeste proposition et autres textes*

5424. Sylvain Tesson — *L'éternel retour*

5425. David Foenkinos — *Nos séparations*

5426. François Cavanna — *Lune de miel*

5427. Philippe Djian — *Lorsque Lou*

5428. Hans Fallada — *Le buveur*

5429. William Faulkner — *La ville*

5430. Alain Finkielkraut (sous la direction de) — *L'interminable écriture de l'Extermination*

5431. William Golding — *Sa majesté des mouches*

5432. Jean Hatzfeld — *Où en est la nuit*

5433. Gavino Ledda — *Padre Padrone. L'éducation d'un berger Sarde*

5434. Andrea Levy — *Une si longue histoire*

5435. Marco Mancassola — *La vie sexuelle des super-héros*

5436. Saskia Noort — *D'excellents voisins*

5437. Olivia Rosenthal — *Que font les rennes après Noël ?*

5438. Patti Smith — *Just Kids*

Composition Société Nouvelle Firmin-Didot
Impression Maury-Imprimeur
45330 Malesherbes
le 14 avril 2013.
Dépôt légal : avril 2013.
1ᵉʳ dépôt légal dans la collection : juillet 2007.
Numéro d'imprimeur : 181180.

ISBN 978-2-07-034706-3. / Imprimé en France.